JN117375

WE CAN
韓国語

入門から初級へ

金世徳・張京花

HAKUEISHA

まえがき

「WE CAN 韓国語－入門から初級へ－」は著者の長年にわたる韓国語の教授経験を元に作られたテキストである。本書は韓国語を初めて勉強する人たちを想定して書かれており、学習者はこの本を通して、ハングルの基本文字から、基礎的な文法や語彙を習熟し、さまざまな表現を繰り返し練習することで、韓国語の文法、話す、読む、書きをバランスよく学習できるようになっている。また、韓国の日常生活や文化に対する理解を促進するために「韓国文化紹介」の項目を設けていることもこのテキストの特徴である。

本書は全12課によって構成されており、各課を90分の授業で2回（週1回の授業の場合は1年、週2回の授業の場合は半年)、50分の授業では4回（週1回の授業の場合は1年）で終えることを想定して書かれている。第1課から3課までは、母音・子音・パッチムなど文字や発音を学習し韓国語の「アルファベット」である「ハングル」を理解することを目的としており、各課にはそのための練習問題が多く用意されている。続く第4課から12課では、「文法」「会話」「読む」「書く」を学習する内容となっている。それぞれの特徴は以下のとおりである。

문법 文法では、基本文型の意味と用法が例文とともに説明されており、文法の基礎をマスターできるようになっている。また、練習問題で学習内容を確認できるようになっている。

말하기 会話では、文法で練習した項目を会話の本文をリピートし、発音を練習しながら表現を勉強できるようになっている。

읽기 読むでは、各課の場面に関連した内容など多様なストーリーを読解問題として扱っており、文章を読む能力を伸ばせるようになっている。

쓰기 書くでは、各課で扱った文型や単語を書いて練習することで、書くことに対する理解を深められるようになっている（韓国語能力試験の書き問題に対応した学習内容となっている）。

さらに、本書は各課の新出単語の練習を通して語彙を増やすことができるようになっている。また、付録には、各課の「話す」・「読む」の項目に対する和訳と変則、発音のルールが載っており、韓国語に対する体系的な学習ができるようになっている。*ワークブックには*、各課の基本文型の練習が十分できるよう、多様な練習問題が載っており、学習者が理解を固める際に役に立つものとなっている。

また、本書の付録には、各課の「話す」・「読む」の項目に対する和訳と変則、発音のルールが載っている。さらに、ワークブックには、①各課の新出単語の練習を通して語彙を増やすことができるようになっている。②各課の基本文型の練習が十分できるよう、多様な練習問題が載っており、学習者が理解を固める際に役に立つものと韓国語に対する体系的な学習ができるようになっている。以上が本書の概要である。

最後に、この書籍の出版をご快諾くださった博英社の中嶋啓太代表取締役をはじめ、編集部の朴ソンイ氏, 編集部担当者の玄恵美氏にこの場を借りて心から感謝の意を表したい。

目次

付録

音声ファイルは、
QR コードをスキャンするとご確認いただけます。

韓国語の特徴とハングルの紹介

① ハングル

韓国語の文字を「ハングル」と呼ぶ。ハングルは15世紀、世宗大王の命で作られた。その目的は簡単で分かりやすい文字を作って庶民が文字を分かるようにするためであった。ハングル形は子音が発声器官（舌、唇、喉など）を、母音は陰陽説に基づいた天・地・人をかたどって作られている。また、ハングルのハンは「偉大なる」の意味、グルは「文字」を意味し、「偉大なる文字」であることを表している。

世宗大王

訓民正音

② ハングルのしくみ

ハングルは子音字母19個、母音字母21個があり、子音＋母音（＋子音）を組み合わせて文字を構成します。最初の子音を「初声」、次の母音を「中声」、最後につけたす子音を「終声」といいます。また、ハングルは1文字＝1音節を構成します。

＊子音・母音を表記する要素＝「字母」

① 母音のみ ⇨ 아

② 母音＋子音 ⇨ 악

③ 子音＋母音 ⇨ 가

④ 子音＋母音＋子音 ⇨ 한

子音＼母音	ㅏ (a)	ㅑ (ya)	ㅓ (o)	ㅕ (yo)	ㅗ (o)	ㅛ (yo)	ㅜ (u)	ㅠ (yu)	ㅡ (u)	ㅣ (i)
ㄱ (k/g)	가	갸	거	겨	고	교	구	규	그	기
ㄴ (n)	나	냐	너	녀	노	뇨	누	뉴	느	니
ㄷ (t/d)	다	댜	더	뎌	도	됴	두	듀	드	디
ㄹ (r)	라	랴	러	려	로	료	루	류	르	리
ㅁ (m)	마	먀	머	며	모	묘	무	뮤	므	미
ㅂ (p/b)	바	뱌	버	벼	보	뵤	부	뷰	브	비
ㅅ (s)	사	샤	서	셔	소	쇼	수	슈	스	시
ㅇ (無音/n)	아	야	어	여	오	요	우	유	으	이
ㅈ (ch/j)	자	쟈	저	져	조	죠	주	쥬	즈	지
ㅊ (chh)	차	챠	처	쳐	초	쵸	추	츄	츠	치
ㅋ (kh)	카	캬	커	켜	코	쿄	쿠	큐	크	키
ㅌ (th)	타	탸	터	텨	토	툐	투	튜	트	티
ㅍ (ph)	파	퍄	퍼	펴	포	표	푸	퓨	프	피
ㅎ (h)	하	햐	허	혀	호	효	후	휴	흐	히

③ 韓国語の特徴

韓国語は日本語を母語とする学習者に学びやすいと言われているが、その特徴として、①韓国語の文は日本語と語順がほぼ同様で、文は最低一つの主語と述語によって構成され、主語は述語の前に、目的語は主語と述語の間に来るのが普通である。②主語には主格助詞が、目的語には目的格助詞など、助詞や敬語がある。③固有語・漢字語が多く使われている。

1）韓国語の文の構成

主語	目的語	述語
이것은 これは		교과서입니다. 教科書です。
친구가 友達が	한국어를 韓国語を	배웁니다. 学びます。
어머니께서 お母さんが	요리를 料理を	만드십니다. 御作りなさっています。

2）分かち書き

韓国語は分かち書きをしますが、基本的には日本語の文節の単位にほぼ近い形で分かち書きをします。①助詞の後ろで、②単位を表す名詞は分けて書きます。

▭例

<table>
<tr><td>친</td><td>구</td><td>가</td><td></td><td>한</td><td>국</td><td>어</td><td>를</td><td></td><td>배</td><td>웁</td><td>니</td><td>다</td><td>.</td><td></td><td></td><td></td></tr>
<tr><td colspan="17">友達が　韓国語を　学びます。</td></tr>
<tr><td>고</td><td>양</td><td>이</td><td>가</td><td></td><td>한</td><td></td><td>마</td><td>리</td><td></td><td>있</td><td>습</td><td>니</td><td>다</td><td>.</td><td></td><td></td></tr>
<tr><td colspan="17">ネコが　一　匹　います。</td></tr>
</table>

FIGHTING
!!!
열 공
YES!

• 1과 •

文字

母音〈1〉と子音〈1〉

母音とは

母音は21個あり、基本母音10個と基本母音の組み合わせによる拡張母音11個によって構成される。

◆ 母音の仕組み

1. ハングルの母音は「長い棒（縦・横）」と「短い棒（1個か2個）」からできています。
2. 長い棒は単独（それだけ）で使えますが、短い棒は長い棒と一緒に使わなければいけません。
3. 長い棒と短い棒をバランスよく組み合わせます。
4. 母音は上から下に、右から左に書く。

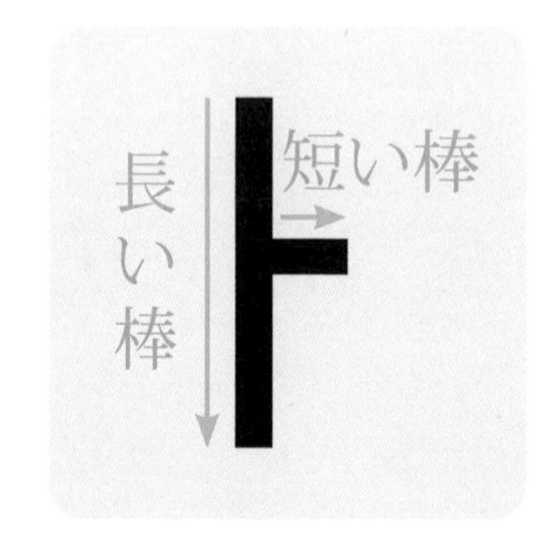

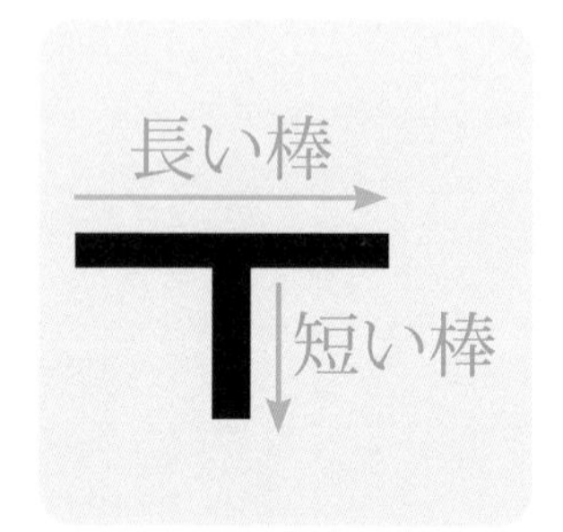

基本母音10個を覚えましょう。　音声 1-1

母音	発音	発音のコツ	母音	発音	発音のコツ
ㅏ	[a]	アとほぼ同じ	ㅗ	[o]	唇を丸くしてオ
ㅑ	[ya]	ヤとほぼ同じ	ㅛ	[yo]	唇を丸くしてヨ
ㅓ	[ɔ]	口を開けてオ	ㅜ	[u]	唇を突き出してウ
ㅕ	[yɔ]	口を開けてヨ	ㅠ	[yu]	唇を突き出してユ

音声 1-2

ㅡ	[ɯ]	口を横に広げてウ	ㅣ	[i]	イとほぼ同じ

＊母音は書くときは、必ず【ㅇ】を長い棒の左か上につける。

練習1 次の母音を発音しながら書いてみましょう。　音声 1-3

아					
야					
어					
여					
오					
요					
우					
유					
으					
이					

練習2 次の単語を読んで書いてみましょう。

音声 1-4

① 아（あ）

② 오（お）

③ 이（い）

④ 오이（キュウリ）

⑤ 아이（子ども）

⑥ 우유（牛乳）

⑦ 여우（キツネ）

⑧ 이유（理由）

⑨ 아우（弟や妹）

⑩ 여유（余裕）

子音（1）

子音は全部で 19 個があるが、14 個の基本子音と 5 個の二重子音によって構成されている。基本子音は 5 個の平音、5 個の激音、3 個の鼻音、1 個の流音に分類することができる。子音は、子音だけでは音が出ないので、必ず母音と組み合わせて発音される。

◆子音の分類

平音	ㄱ, ㄷ, ㅂ, ㅅ, ㅈ
激音	ㅋ, ㅌ, ㅍ, ㅊ, ㅎ
濃音	ㄲ, ㄸ, ㅃ, ㅆ, ㅉ
鼻音	ㄴ, ㅁ, ㅇ
流音	ㄹ

① 鼻音

鼻音は鼻から息が抜ける音で、［ㄴ , ㅁ , ㅇ］の 3 つがある。

音声 1-5

子音	発音	発音のコツ	例
ㄴ	[n]	日本語の【ナ】行とほぼ同じ	나, 노
ㅁ	[m]	日本語の【マ】行とほぼ同じ	마, 모

② 流音

流音は舌先が歯茎をはじく音で、［ㄹ］の 1 つがある。

音声 1-6

子音	発音	発音のコツ	例
ㄹ	[r]	日本語の【ラ】行とほぼ同じ	라, 로

練習1 子音と母音を組み合わせて書きながら書いてみましょう。

音声 1-7

母音 / 子音	ㅏ	ㅑ	ㅓ	ㅕ	ㅗ	ㅛ	ㅜ	ㅠ	ㅡ	ㅣ
ㅇ	아									
ㄴ			너							
ㅁ						묘				
ㄹ									르	

練習2 次の単語を読んで書いてみましょう。

音声 1-8

① 나（私）

② 너（お前）

③ 누나（姉）

④ 나무（木）

⑤ 어머니（お母さん）

⑥ 머리（頭）

⑦ 우리（私たち）

⑧ 나라（国）

⑨ 오리（アヒル）

⑩ 어느（どの）

③ 平音

平音は、普段どおりに発音する音で、［ㄱ, ㄷ, ㅂ, ㅅ, ㅈ］の５つがある。また、平音は語頭では清音で発音されるが、語中では濁音で発音されている。

音声 1-9

子音	語頭		語中		例
	発音	発音のコツ	発音	発音のコツ	
ㄱ	[k]	【カ】行とほぼ同じ	[g]	【ガ】行とほぼ同じ	가, 고
ㄷ	[t]	【タ】行とほぼ同じ	[d]	【ダ】行とほぼ同じ	다, 도
ㅂ	[p]	【パ】行とほぼ同じ	[b]	【バ】行とほぼ同じ	바, 보
ㅅ	[s]	【サ】行とほぼ同じ			사, 소
ㅈ	[ʧ]	【チャ】行とほぼ同じ	[ʤ]	【ジャ】行とほぼ同じ	자, 조

◆平音の有声音化

平音のうち、［ㄱ, ㄷ, ㅂ, ㅈ］の４つは、語頭（単語の始め）に使われたときは、濁らず（無声音）[k、t、p、ʧ] と発音されるが、語中（単語の始め以外）に使われたときは、濁った（有声音）[g、d、b、ʤ] と発音される。この現象を子音の有声音化と言います。

▭例

音声 1-10

고기（肉）	구두（靴）	도구（道具）	두부（豆腐）	부부（夫婦）
[kogi]	[kudu]	[togu]	[tubu]	[pubu]

練習1 子音と母音を組み合わせて書きながら書いてみましょう。

音声 1-11

子音＼母音	ㅏ	ㅑ	ㅓ	ㅕ	ㅗ	ㅛ	ㅜ	ㅠ	ㅡ	ㅣ
ㄱ	가									
ㄷ			더							
ㅂ					보					
ㅅ							수			
ㅈ									즈	

練習2 次の単語を読んで書いてみましょう。

音声 1-12

① 가구（家具）

② 고기（肉）

③ 아기（赤ちゃん）

④ 야구（野球）

⑤ 두유（豆乳）

⑥ 구두（靴）

⑦ 유도（柔道）

⑧ 바다（海）

⑨ 보리（麦）

⑩ 나비（蝶々）

⑪ 두부（豆腐）

⑫ 사다리（ハシゴ）

⑬ 교수（教授）

⑭ 버스（バス）

⑮ 미소（微笑み）

⑯ 지도（地図）

⑰ 모자（帽子）

⑱ 바지（ズボン）

⑲ 아버지（お父さん）

⑳ 주스（ジュース）

FIGHTING
!!!
열 공
YES!

• 2과 •

文字

母音〈2〉と子音〈2〉

1. 合成母音

合成母音は基本母音のうち、もう 1 本つけ加え、組み合わせる母音である。

① 半母音［i］＋母音

音声 2-1

母音	発音	発音のコツ	母音	発音	発音のコツ
ㅔ	[e]	エとほぼ同じ	ㅐ	[ɛ]	口を広げてエ
ㅖ	[ye]	イェとほぼ同じ	ㅒ	[yɛ]	口を広げてイェ

練習1 次の母音を発音しながら書いてみましょう。

音声 2-2

에					
예					
애					
얘					

練習2 次の単語を読んで書いてみましょう。

音声 2-3

① 예（はい）

② 우애（友愛）

③ 에이（A）

④ 애（赤ちゃん）

② 半母音［w］＋母音

基本母音で口を丸く突き出してから発音する［ㅗ］の右に［ㅏ, ㅣ, ㅐ］と［ㅜ］の右に［ㅓ, ㅣ, ㅔ］をそれぞれ加えると日本語の【ワ】行の母音になる。

音声 2-4

ㅗ [o]	+ ㅏ [a] →ㅘ	와 [wa]	ㅜ [u]	+ ㅓ [ɔ] →ㅝ	워 [wɔ]
	+ ㅐ [ɛ] →ㅙ	왜 [we]		+ ㅔ [e] →ㅞ	웨 [we]
	+ ㅣ [i] →ㅚ	외 [we]		+ ㅣ [i] →ㅟ	위 [wi]

③ 二重母音

二重母音は口を横に引いて発音する［ㅢ］1つだけがある。

音声 2-5

의 ［ɯi］

ただ、発音に注意すること。

①［의］は口頭では文字通り［의］で発音される。 의미 [의미]　　音声 2-6

② 口頭以外または子音に続くと［이］で発音される。거의 [거이] 희다 [히다]　　音声 2-7

③ 助詞「～の : 의」の場合、[에] で発音される。 아버지의 [아버지에]　　音声 2-8

練習1 次の母音を発音しながら書いてみましょう。　音声 2-9

와					
왜					
외					
워					
웨					
위					
의					

練習2 次の単語を読んで書いてみましょう。　音声 2-10

① 개미（アリ）

② 지우개（消しゴム）

③ 얘기（お話）

④ 가게（店）

⑤ 세수（洗顔）

⑥ 메아리（山びこ）

⑦ 시계（時計）

⑧ 세계（世界）

⑨ 과자（お菓子）

⑩ 의사（医者）

⑪ 교과서（教科書）

⑫ 돼지（豚）

⑬ 와요（来ます）

⑭ 어려워요（難しいです）

⑮ 기와（瓦）

⑯ 귀（耳）

⑰ 더워요（暑いです）

⑱ 웨이브（ウェーブ）

⑲ 고마워요（ありがとうございます）

⑳ 어머니의 가위（お母さんのハサミ）

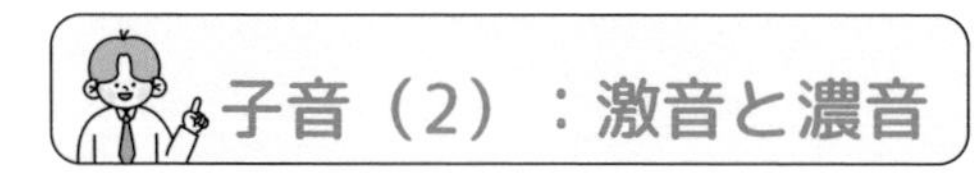

子音（2）：激音と濃音

① 激音

激音は、平音［ㄱ, ㄷ, ㅂ, ㅈ］に一画を加えた［ㅋ, ㅌ, ㅍ, ㅊ］と［ㅎ］の5つで、発音する息を激しく出しながら音を出す強い発音である。

音声 2-11

子音	発音	発音のコツ	例
ㅋ	[kʰ]	【カ】行を息を強く発音	카, 코
ㅌ	[tʰ]	【タ】行を息を強く発音	타, 토
ㅍ	[pʰ]	【パ】行を息を強く発音	파, 포
ㅊ	[ʧʰ]	【チャ】行を息を強く発音	차, 초
ㅎ	[h]	【ハ】行と同じ発音	하, 호

練習1 子音と母音を組み合わせて書きながら書いてみましょう。

音声 2-12

母音 子音	ㅏ	ㅑ	ㅓ	ㅕ	ㅗ	ㅛ	ㅜ	ㅠ	ㅡ	ㅣ
ㅋ	카									
ㅌ			터							
ㅍ					포					
ㅊ							추			
ㅎ									흐	

練習2 次の単語を読んで書いてみましょう。 音声 2-13

① 카드（カード）

② 호수（湖）

③ 휴지（ちり紙）

④ 투수（投手）

⑤ 도토리（どんぐり）

⑥ 버터（バター）

⑦ 포도（ブドウ）

⑧ 피아노（ピアノ）

⑨ 커피（コーヒー）

⑩ 아파트（アパート）

⑪ 치마（スカート）

⑫ 기차（汽車）

⑬ 치즈（チーズ）

⑭ 하마（カバ）

⑮ 코스모스（コスモス）

⑯ 크리스마스（クリスマス）

② 濃音

濃音は、平音［ㄱ, ㄷ, ㅂ, ㅅ, ㅈ］を重ねて書く［ㄲ, ㄸ, ㅃ, ㅆ, ㅉ］5つで、舌の筋肉を緊張させながら発音する。

音声 2-14

子音	発音	発音のコツ	例
ㄲ	[ˀk]	【ツカ】行、息を出さず緊張して発音	까, 꼬
ㄸ	[ˀt]	【ツタ】行、息を出さず緊張して発音	따, 또
ㅃ	[ˀp]	【ツパ】行、息を出さず緊張して発音	빠, 뽀
ㅆ	[ˀs]	【ツサ】行、息を出さず緊張して発音	싸, 쏘
ㅉ	[ˀʧ]	【ツチャ】行、息を出さず緊張して発音	짜, 쪼

練習1 子音と母音を組み合わせて書きながら書いてみましょう。

音声 2-15

母音 / 子音	ㅏ	ㅑ	ㅓ	ㅕ	ㅗ	ㅛ	ㅜ	ㅠ	ㅡ	ㅣ
ㄲ	까									
ㄸ			떠							
ㅃ					뽀					
ㅆ							쑤			
ㅉ									쯔	

練習2 次の単語を読んで書いてみましょう。　音声 2-16

① 끄다（消す）

② 꼬리（尾）

③ 까치（カササギ）

④ 토끼（ウサギ）

⑤ 머리띠（カチューシャ）

⑥ 따르다（注ぐ）

⑦ 메뚜기（バッタ）

⑧ 뜨다（浮く）

⑨ 아빠（パパ）

⑩ 오빠（兄）

⑪ 예쁘다（綺麗だ）

⑫ 싸다（安い）

⑬ 아저씨（おじさん）

⑭ 쓰레기（ゴミ）

⑮ 짜다（塩辛い）

⑯ 찌개（チゲ）

FIGHTING
!!!
열 공
YES!

• 3과 •

文字

終声と発音のルール

1. 終声（パッチム）

終声の子音をパッチムという。すべての子音（ㄸ，ㅃ，ㅉを除いた）がパッチムとして使われるが、この子音が全ての文字の通りに発音されるのでなく、7つの音[閉鎖音：ㄱ，ㄷ，ㅂ]、[鼻音：ㄴ，ㅁ，ㅇ]、[流音：ㄹ] を代表音として発音される。

① 閉鎖音の終声

音声 3-1

代表音		発音	発音のコツ	パッチム	例
ツ	ㄱ	[k]	日本語で「あっけない」というときの「っ」とほぼ同じで、舌の後ろの方を上あごの方に持ち上げて発音。	ㄱ,ㅋ,ㄲ	박 [박] 밖 [박]
	ㄷ	[t]	日本語で「いった」というときの「っ」とほぼ同じで、舌先を上の歯茎の後ろ辺りにつけて発音。	ㄷ,ㅌ,ㅅ,ㅆ,ㅈ,ㅊ,ㅎ	곧 [곧] 옷 [옫]
	ㅂ	[p]	日本語で「いっぱい」というときの「っ」とほぼ同じで、唇は閉じたままで発音。	ㅂ,ㅍ	입 [입] 잎 [입]

練習1 次の単語を発音しながら書いてみましょう。 音声 3-2

① 책（本）

② 학교（学校）

③ 부엌（台所）

④ 끝（お終い）

⑤ 맛（味）

⑥ 빚（借金）

⑦ 밥 (ご飯)

⑧ 앞 (前)

⑨ 옆 (横)

⑩ 집 (家)

② 鼻音の終声

音声 3-3

代表音		発音	発音のコツ	パッチム	例
ン	ㅇ	[ŋ]	日本語で「あんこ」というときの「ん」とほぼ同じで、舌の後ろの方を持ち上げて発音。	ㅇ	강 [강] 방 [방]
	ㄴ	[n]	日本語で「あんない」というときの「ん」とほぼ同じで、舌先を上の歯茎の辺りにつけて発音。	ㄴ	산 [산] 난 [난]
	ㅁ	[m]	日本語で「あんま」というときの「ん」とほぼ同じで、唇は閉じたままに発音。	ㅁ	김 [김] 힘 [힘]

練習1 次の単語を発音しながら書いてみましょう。

音声 3-4

① 동생 (弟)

② 운동장 (運動場)

③ 가방 (カバン)

④ 봄 (春)

⑤ 그림 (絵)

⑥ 김치 (キムチ)

⑦ 사진（写真）

⑧ 자전거（自転車）

⑨ 눈（目・雪）

⑩ 이름（名前）

③ 流音の終声

音声 3-5

代表音		発音	発音のコツ	パッチム	例
ル	ㄹ	[l]	日本語で「あら」というときとほぼ同じで、舌先を上の歯茎の後ろの方につけて発音。	ㄹ	길 [길] 일 [일]

練習1 次の単語を発音しながら書いてみましょう。

音声 3-6

① 일본（日本）

② 말（馬）

③ 서울（ソウル）

④ 불고기（プルゴギ）

⑤ 발（足）

⑥ 술（酒）

◆2文字パッチム

パッチムに来る子音は最大２個である。２つのうち片方が発音される。

音声 3-7

	パッチム	例
右側の子音を発音する	ㄺ、ㄻ	닭［닥］、삶［삼］
左側の子音を発音する	ㄵ、ㄶ、ㄼ、ㅄ	앉다［안따］、많다［만타］ 여덟［여덜］、없다［업따］

2. 発音のルール

① 連音化

パッチムの後に母音が続く場合、パッチムと母音が結びついて発音される現象を連音化と言います。

① パッチムの後に初声が母音［ㅇ］の場合、パッチムの音が母音に移り、発音される。

音声 3-8　　한국어 ⇨ 한구거　　일본어 ⇨ 일보너

② パッチムが［ㅇ］の場合、パッチムの音は母音に移らず、そのまま発音する。

音声 3-9　　영어 ⇨ 영어　　강아지 ⇨ 강아지

③ パッチムが２つの場合、右側のパッチムの音は母音に移り、発音される。

音声 3-10　　앉아요 ⇨ 안자요　　젊어요 ⇨ 절머요

② 鼻音化

パッチム［ㄱ, ㄷ, ㅂ］の後に子音［ㄴ, ㅁ］が続く場合、パッチムの音は［ㅇ, ㄴ, ㅁ］の音に鼻音化します。

［ㄱ,ㄷ,ㅂ］ + ［ㄴ,ㅁ］ → ［ㅇ,ㄴ,ㅁ］ + ［ㄴ,ㅁ］

音声 3-11　학년 ⇨ 항년　옛날 ⇨ 옌날　입문 ⇨ 임문

③ 濃音化

パッチム［ㄱ, ㄷ, ㅂ］の後に子音［ㄱ, ㄷ, ㅂ, ㅅ, ㅈ］が続く場合、後ろの子音の音は［ㄲ, ㄸ, ㅃ, ㅆ, ㅉ］の音に濃音化します。

［ㄱ,ㄷ,ㅂ］ + ［ㄱ,ㄷ,ㅂ,ㅅ,ㅈ］ → ［ㄱ,ㄷ,ㅂ］ + ［ㄲ,ㄸ,ㅃ,ㅆ,ㅉ］

音声 3-12　학교 ⇨ 학꾜　식당 ⇨ 식땅　숙박 ⇨ 숙빡
책상 ⇨ 책쌍　잡지 ⇨ 잡찌

④ 激音化

パッチム［ㄱ, ㄷ, ㅂ］の後に子音［ㅎ］が続く場合、後ろの初声子音の音は［ㄱ, ㄷ, ㅂ + ㅎ］と合体され、［ㅋ, ㅌ, ㅍ］の音に激音化します。または、パッチム［ㅎ］の後に子音［ㄱ, ㄷ, ㅂ, ㅈ］が続く場合も、後ろの初声子音の音は［ㅋ, ㅌ, ㅍ, ㅊ］の音に激音化します。

［ㄱ,ㄷ,ㅂ］ + ［ㅎ］ ⇨ ［ なし ］ + ［ㅋ,ㅌ,ㅍ］
［ㅎ］ + ［ㄱ,ㄷ,ㅂ,ㅈ］ ⇨ ［ なし ］ + ［ㅋ,ㅌ,ㅍ,ㅊ］

音声 3-13　입학 ⇨ 이팍　축하 ⇨ 추카　좋다 ⇨ 조타

⑤ 口蓋音化

パッチム［ㄷ, ㅌ］の後に母音［이］が続く場合、パッチムの音が母音に移り、発音されるが、［디, 티］ではなく、［지, 치］に発音される。これを口蓋音化と言います

音声 3-14　굳이 ⇨ 구지　같이 ⇨ 가치

◆カナのハングル表記：（　）は語頭以外に使われる場合。

あ	い	う	え	お	か	き	く	け	こ
아	이	우	에	오	가(카)	기(키)	구(쿠)	게(케)	고(코)
さ	し	す	せ	そ	た	ち	つ	て	と
사	시	수	세	소	다(타)	지(치)	쓰(츠)	데(테)	도(토)
な	に	ぬ	ね	の	は	ひ	ふ	へ	ほ
나	니	누	네	노	하	히	후	헤	호
ま	み	む	め	も	ら	り	る	れ	ろ
마	미	무	메	모	라	리	루	레	로
や	ゆ	よ	わ	を	んパッチム		ッパッチム		
야	유	요	와	오	ㄴ		ㅅ		

練習1 次の地名・人名をハングル表記で書いてみましょう。

① 福岡 ＿＿＿＿＿＿＿＿

② 仙台 ＿＿＿＿＿＿＿＿

③ 岐阜 ＿＿＿＿＿＿＿＿

④ 大阪 ＿＿＿＿＿＿＿＿

⑤ 木村　カリン ＿＿＿＿＿＿＿＿

⑥ 自分の名前 ＿＿＿＿＿＿＿＿

FIGHTING
!!!
열 공
YES!

• 4과 •

저는 카린입니다.

私はカリンです。

4-1
文法

입니다, 입니까

「…です /…ですか」

名詞の後に使い、物や人の名前などを丁寧に表す語尾である。

叙述形「…です」	疑問形「…ですか」
N＋입니다	N＋입니까？
책상＋입니다 → 책상입니다 （机です。）	의자＋입니까 → 의자입니까? （椅子ですか。）

練習1 次の物は何でしょうか。例のように質問して答えてみましょう。

例 한국어 책

가: 한국어 책입니까?　（韓国語の本ですか。）
나: 네, 한국어 책입니다.　（はい。韓国語の本です。）

① 가방

② 공책

③ 전화

④ 연필

⑤ 사전

가방 カバン　공책 ノート　전화 電話　연필 鉛筆　사전 辞書

4-2
助詞

-는/은

「…は」

文の主題であることを表す助詞である。

母音語幹（パッチム無）+는 　　子音語幹（パッチム有）+은

저+는 → 저는
（私は）

선생님+은 → 선생님은
（先生は）

練習1 例のように話してみましょう。

例 마크/미국 사람/회사원

⇨ 마크는 미국 사람입니다. 　마크는 회사원입니다.
（マークはアメリカ人です。）（マークは会社員です。）

① 카린/일본 사람/학생

② 소피/프랑스 사람/ 배우

③ 나르샤/영국 사람/가수

④ 이수민/한국 사람/은행원

⑤ 왕조/중국 사람/요리사

일본 日本　영국 英国　한국 韓国　중국 中国　프랑스 フランス　학생 学生　배우 俳優　가수 歌手
은행원 銀行員　요리사 料理師　사람 人

4-3
文法

- 가/이 아닙니다

「…ではありません」

名詞の後に使い、物や人の名前などを否定して話す時に使う。입니다の否定表現である。

母音語幹（パッチム無）+가 아닙니다　子音語幹（パッチム有）+이 아닙니다

주부+가 아닙니다 → 주부가 아닙니다
（主婦ではありません。）

선생님+이 아닙니다 → 선생님이 아닙니다
（先生ではありません。）

練習1 例のように会話を話してみましょう。

例 마크/캐나다 사람 (×) /미국 사람 (○) （マーク/カナダ人/アメリカ人）

가: 마크 씨는 캐나다 사람입니까?　（マークはカナダ人ですか。）

나: 아니요, 캐나다 사람이 아닙니다. 미국 사람입니다.

（いいえ、カナダ人ではありません。）（アメリカ人です。）

① 카린/베트남 사람 (×) /일본 사람 (○)

② 소피/러시아 사람 (×) /프랑스 사람 (○)

③ 나르샤/영화배우 (×) /가수 (○)

④ 이수민/학생 (×) /은행원 (○)

⑤ 왕조/회사원 (×) /요리사 (○)

베트남 ベトナム　러시아 ロシア　영화배우 映画俳優

말하기 話してみよう。

音声 4-1

初めて会う友達に、あいさつや名前、国籍、職業などを尋ねてみましょう。

이수민 안녕하세요? 저는 이수민입니다.

카 린 안녕하세요? 저는 카린입니다.

이수민 어느 나라 사람입니까?

카 린 일본 사람입니다.

이수민 카린 씨는 회사원입니까?

카 린 아니요. 회사원이 아닙니다. 학생입니다.

이수민 저는 은행원입니다. 만나서 반갑습니다.

① 表現の拡大：次の語句を参考に会話を作ってみよう。

■ 이름 소개하기

저는 카린입니다. / 저는 카린이라고 합니다. / 제 이름은 카린입니다.

■ 国

미국 /영국/프랑스/캐나다/필란드/스위스/중국/일본/베트남/필리핀/한국

■ 職業

의사/간호사/약사/공무원/판매원

② 本文の会話を発音しながら書いて、日本語訳をしてみよう。

안녕하세요? こんにちは。 어느 どの 나라 国 사람 人 일본 日本 회사원 会社員 학생 学生
은행원 銀行員 만나다 会う 반갑습니다. （お会い出来て）嬉しいです。

읽기 読んでみよう。

音声 4-2

次の文章を読んで質問に答えましょう。

안녕하세요?
제 이름은 카린입니다.
저는 일본 사람입니다.
학생입니다.
만나서 반갑습니다.

1. 카린 씨는 일본 사람입니다. 네 ______ 아니요 ______
2. 카린 씨는 가수입니다. 네 ______ 아니요 ______

쓰기 書いてみよう。

1. 私は（自分の名前）です。

⇨ ______________________________

2. ユリさんは留学生ですか。

⇨ ______________________________

3. ホテルはどこですか。

⇨ ______________________________

4. 趣味は何ですか。

⇨ ______________________________

5. 家は東京ではありません。

⇨ ______________________________

memo

FIGHTING
!!!
YES!
열 공

• 5과 •

고양이가 집에 있습니다.

ネコが家にいます。

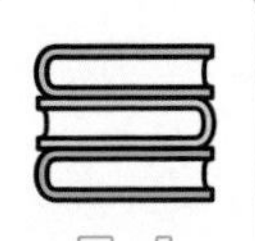

文法

있습니다　　　　없습니다

「…あります /…います」　「…ありません /…いません」

物や人の有無を丁寧に表す尊敬語尾である。日本語のような「ある」と「いる」、「ない」と「いない」の区別はないので注意しましょう。

叙述形	疑問形
있습니다「…あります/…います」	있습니까?「…ありますか/…いますか」
없습니다「…ありません/…いません」	없습니까?「…ありませんか/…いませんか」

助詞

-가/이

「…が」

文の主語であることを表す助詞である。

母音語幹（パッチム無）＋가
교회＋가 → 교회가
（教会が）

子音語幹（パッチム有）＋이
은행＋이 → 은행이
（銀行が）

助詞「…が: 가/이」の使い分けに注意しながら、（　）の中に①〜⑤の言葉を入れて話してみましょう。

(　　　　　) 가/이 있습니까?

① 학교 ____________________

② 편의점 ____________________

③ 공원 ____________________

④ 영화관 ____________________

⑤ 카페 ____________________

학교 学校　편의점 コンビニ　공원 公園　영화관 映画館　카페 カフェ

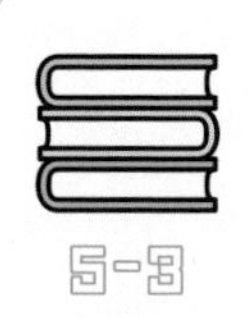

5-3

助詞

-에

「…に」

名詞の後につけて場所や位置を表す助詞である。

집에 없습니다.（家にいません。）
어디에 있습니까?　（どこにありますか。）

練習1 （　）のa,bに①～⑤の言葉を入れて話してみましょう。

가: 근처에 (　a　) 가/이 있습니까?
나: 네, (　b　) 에 있습니다.

① a. 화장실　　b. 서점 안

② a. 교회　　b. 병원 옆

③ a. 편의점　　b. 우체국 앞

④ a. 지하철역　　b. 은행 뒤

⑤ a. 도서관　　b. 공원 오른쪽

◆ 語彙を増やそう：位置を表す言葉

앞 前 ⇔ 뒤 後ろ　　안/속 中 ⇔ 밖 外　　위 上 ⇔ 아래/밑 下
오른쪽 右 ⇔ 왼쪽 左　　옆 横　　사이 間

근처 近所　화장실 トイレ　서점 書店　병원 病院　우체국 郵便局　지하철역 地下鉄駅　도서관 図書館

말하기 話してみよう。

音声 5-1

ネコがいますか。

이수민 카린 씨, 고양이가 있습니까?
카 린 네, 있습니다.
이수민 이름이 무엇입니까?
카 린 레오입니다.
이수민 고양이는 어디에 있습니까?
카 린 고향 부모님 집에 있습니다.
이수민 고향이 어디입니까?
카 린 나라입니다.

① 表現の拡大：自分の故郷などに替えて会話を作ってみよう。

② 本文の会話を発音しながら書いて、日本語訳をしてみよう。

고양이 猫　이름 名前　무엇 何　어디 どこ　고향 故郷　부모님 ご両親

읽기 読んでみよう。

音声 5-2

次の文章を読んで質問に答えましょう。

제 방입니다. 제 방에 침대가 있습니다.
곰 인형이 있습니다.
침대 옆에 책상이 있습니다.
책상 위에 컴퓨터가 있습니다.
컴퓨터 오른쪽에 사진이 있습니다.
책상 밑에 휴지통이 있습니다.

1. 방에 소파가 있습니다.　　　네 ______　　　아니요 _____
2. 침대 옆에 책상이 있습니다.　　　네 ______　　　아니요 _____

쓰기 書いてみよう。

1. 授業がありますか。

⇨ ______________________________

2. 約束がありません。

⇨ ______________________________

3. 食堂はどこにありますか。

⇨ ______________________________

4. スポーツセンターの中に、カフェがあります。

⇨ ______________________________

5. 近所にコンビニがありません。

⇨ ______________________________

FIGHTING
!!!
YES!
열 공

• 6과 •

여기가 학교입니까?

ここが学校ですか。

6-1
文法

이/그/저 + N

「この、その、あの」

名詞の前にきて物、場所、時間を表す指示語である。

이（この）	이것（これ）	이곳/여기（ここ）
그（その）	그것（それ）	그곳/거기（そこ）
저（あの）	저것（あれ）	저곳/저기（あそこ）

＊縮約形

이것은→이건（これは）	이것이→이게（これが）
그것은→그건（それは）	그것이→그게（それが）
저것은→저건（あれは）	저것이→저게（あれが）

練習1　（　）のa, bに①～⑤の言葉を入れて話してみましょう。

가: (　a　) 가/이 무엇입니까?
나: (　b　) 입니다.

① a. 이것　b. 책상

② a. 그것　b. 테이블

③ a. 저것　b. 침대

④ a. 이 건물　b. 미술관

⑤ a. 저 건물　b.대학교

책상 机　테이블 テーブル　침대 ベット　미술관 美術館　건물 建物　대학교 大学校

6-2
助詞

-과/와, -하고

「…と」

色々な物や人を羅列する助詞である。

母音語幹（パッチム無） +와
의자 + 와 → 의자와
（椅子と）

子音語幹（パッチム有） +과
가방 + 과 → 가방과
（カバンと）

母音・子音語幹（パッチム有/無） +하고
의자 + 하고 → 의자하고 / 가방 + 하고 → 가방하고

練習1 （ ）のa,b,cに①～⑤の言葉を入れて話してみましょう。

(a) 에 무엇이 있습니까?
(b) 과/와 (c) 가/이 있습니다.

① a. 거실 b. 텔레비전 c. 소파

② a. 방 b. 침대 c. 책장

③ a. 편의점 b. 라면 c. 과자

④ a. 사무실 b. 컴퓨터 c. 복사기

⑤ a. 필통 b. 볼펜 c. 지우개

거실 居間　텔레비전 テレビ　소파 ソファ　방 部屋　책장 本棚　라면 ラーメン　과자 菓子
사무실 事務室　컴퓨터 コンピュータ　복사기 コピー機　필통 筆箱　볼펜 ボールペン　지우개 消しゴム

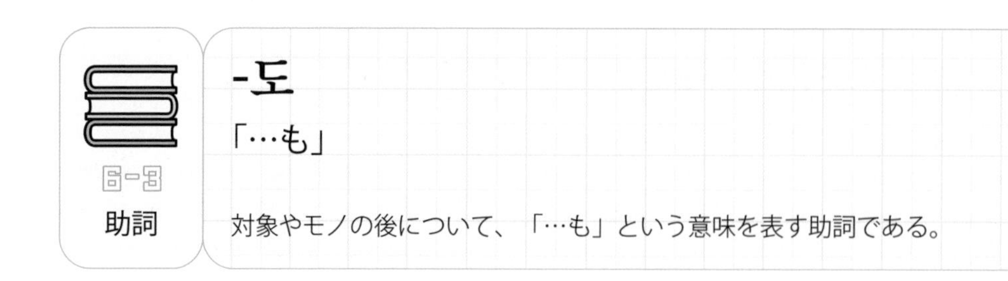

주스도 있습니다.　(ジュースもあります。)

한국 음식도 있습니까?　(韓国料理もありますか。)

練習1 例のように質問してみましょう。

例 시계

⇒ 시계도 있습니까?

① 우산

② 티슈

③ 핸드폰

④ 손수건

⑤ 마스크

시계 時計　우산 傘　티슈 ティッシュ　핸드폰 携帯　손수건 ハンカチ　마스크 マスク

말하기 話してみよう。

音声 6-1

友達に学校を案内してみましょう。

카 린　이수민 씨, 안녕하세요?

이수민　안녕하세요? 여기가 카린 씨 학교입니까?

카 린　네, 그렇습니다. 제 학교입니다.

이수민　카린 씨, 학생 식당이 어디에 있습니까?

카 린　지하에 있습니다. 거기에 매점하고 휴게실도 있습니다.

이수민　이 건물에 컴퓨터실이 있습니까?

카 린　아뇨, 여기에 컴퓨터실은 없습니다.
이 건물 왼쪽 도서관 안에 컴퓨터실이 있습니다.

① 表現の拡大：次の語句を参考に会話を作ってみよう。

■ 施設

교실/ 도서관/ 화장실/ 사무실

② 本文の会話を発音しながら書いて、日本語訳をしてみよう。

학생 식당 学生食堂　지하 地下　매점 売店　휴게실 休憩室　컴퓨터실 コンピュータ室

읽기 読んでみよう。

音声 6-2

次の文章を読んで質問に答えましょう。

여기는 한국어 교실입니다.
교실 앞에 교탁하고 칠판이 있습니다.
책상과 의자가 있습니다.
그리고 컴퓨터도 있습니다.

1. 교실에 칠판하고 컴퓨터가 있습니다. 네 ______ 아니요 _____
2. 교실에 텔레비전이 있습니다. 네 ______ 아니요 _____

쓰기 書いてみよう。

1. それは何ですか。

⇨ ____________________

2. あの建物は図書館です。

⇨ ____________________

3. これはラーメンです。

⇨ ____________________

4. この近所に百貨店もありますか。

⇨ ____________________

5. 果物と野菜があります。

⇨ ____________________

文化の紹介:韓国の教育

韓国の教育は、日本と比べてみると次のようである。

	韓国	日本
学校制度	6-3-3-4制	6-3-3-4制
義務教育期間	満6歳～満15歳	満6歳～満15歳
学校年度	3月～2月	4月～3月
学期制	2学期制	3学期制

一方、韓国での教育は歴史から見ると、**根強く残る「科挙」文化**からみることができる。
朝鮮時代の「**科挙制度**」は官僚の登用門となる試験、出世の手段としての学問であった。それが、現在にも繋がり、高い大学進学率、海外留学は出世のためで必要不可欠のようになっている。そのため、社会的弊害として、名門大学に入るための激しい入試競争、高価な教育費用、英語幼稚園、塾、習い事、早期留学ブーム、苛酷な青少年時代を送らせている。
さらに、教育は政治との関係も強く、敏感な教育政策・入試制度が政権の支持率を左右しているケースもある。

大学進学率　平均70%以上

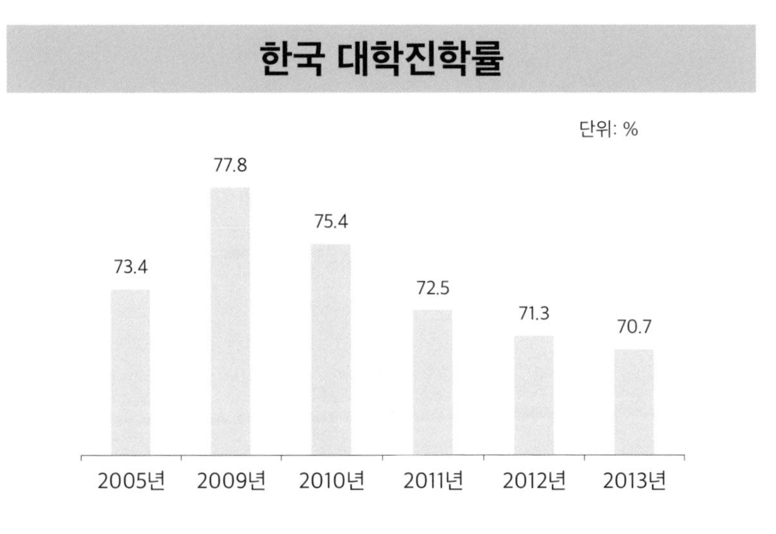

海外早期留学ブーム (boom) の背景と特徴を見ると次のようである。

1997 年、アジア通貨危機と韓国の経済危機
：IMF（国際通貨基金）から支援を受ける、構造改革を強要
↓　↓　↓
完全実力主義のアメリカ式経営に転換しつつ、国際化へ
↓　↓　↓
高度な英語力が生き残る道と考えられる
↓　↓　↓
英語圏への「早期留学」ブーム

結果、早期留学ブームの弊害である過熱する韓国の英語教育が導入された。
早期留学は 2000 年から急増され、小・中・高等学校段階で留学した。多くの場合が小学校から留学するため母が同行は　➡深刻な社会問題化(家庭の危機)になった。
その、例として挙げられるのがキロギアッパ(韓国語でアッパは「父、パパ」)である。

- 一時の流行語：キロギアッパ
- 子供と母親は米国など英語圏の国へ留学
- 父親は韓国で教育費を稼ぎ、仕送り
- 父と母子は、まるで渡り鳥のように、夏・冬休み中に会う
- とても深刻な社会問題化 : 家族解体、離婚、子供の就職問題（留学先、韓国）等

memo

FIGHTING
!!!
YES!
열 공

• 7과 •

컴퓨터를 배웁니다.

コンピューターを習います。

7-1
文法

-ㅂ니다/-습니다, -ㅂ니까/-습니까

「…です…ます/…ですか…ますか」「합니다体」

形容詞や動詞の後に使い、丁寧に事実や考えなどを言う語尾である。

■ 日本語の「です・ます体」「だ・である体」と同じく、韓国語は「**합니다**体」「해요体」「해体」「한다体」という丁寧さを表す終結語尾の表現がある。「**합니다**体」は最も丁寧な表現である。

ポイント

用言には母音語幹（パッチム無）と子音語幹（パッチム有）があり、用言の語幹によって、付く形が異なる。

叙述形（…です…ます）	疑問形（…ですか…ますか）
母音語幹（パッチム無）＋ㅂ니다 （ㄹ語幹はㄹが脱落）	母音語幹（パッチム無）＋ㅂ니까？ （ㄹ語幹はㄹが脱落）
子音語幹（パッチム有）＋습니다	子音語幹（パッチム有）＋습니까？

（母音語幹）	가다（行く）	가＋ㅂ니다 → 갑니다	가＋ㅂ니까 → 갑니까?
（ㄹ語幹はㄹが脱落）	놀다（遊ぶ）	노＋ㅂ니다 → 놉니다	노＋ㅂ니까 → 놉니까?
（子音語幹）	먹다（食べる）	먹＋습니다 → 먹습니다	먹＋습니까 → 먹습니까?

練習1 例のように質問して答えてみましょう。

例 오다 ⇒ 옵니까?　네, 옵니다.

① 쇼핑하다 ＿＿＿＿＿＿

② 만들다 ＿＿＿＿＿＿

③ 비싸다 ＿＿＿＿＿＿

④ 맛있다 ＿＿＿＿＿＿

⑤ 작다 ＿＿＿＿＿＿

오다 来る　쇼핑하다 ショッピングする　만들다 作る　비싸다 （値段が）高い　맛있다 美味しい　작다 小さい

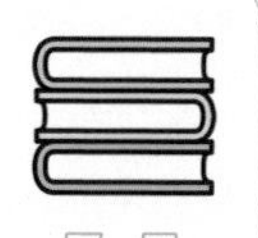

7-2
助詞

-를/을

「…を」

文の目的語であることを表す助詞である。

母音語幹（パッチム無）＋를
우유＋를 → 우유를
（牛乳を）

子音語幹（パッチム有）＋을
김밥＋을 → 김밥을
（キンパップを）

◆ 次の用言の前では-를/을を使う。

타다　：-를/을 타다（～に乗る）　버스를 탑니다.（バスに乗ります。）
만나다：-를/을 만나다（～に会う）　친구를 만납니다.（友達に会います。）
좋아하다：-를/을 좋아하다（～が好きだ）　소녀시대를 좋아합니다.（少女時代が好きです。）

練習1 例のように質問して答えてみましょう。

例 마크/책/읽다
가: (마크) 가/이 무엇을 합니까?
나: (책) 를/을 (읽습니다).

① 카린/영화/보다

② 소피/옷/ 입다

③ 나르샤/한국어/공부하다

④ 이수민/커피/마시다

⑤ 왕조/친구/기다리다

책 本　영화 映画　옷 服　한국어 韓国語　커피 コーヒー　친구 友達　읽다 読む　보다 見る
입다 着る　공부하다 勉強する　마시다 飲む　기다리다 待つ

7-3
助詞

-에서

「…で」

動作の行われる場所を表す助詞である。

교실에서 공부합니다.　（教室で勉強します。）
기숙사에서 삽니다.　（寮で住んでいます。）

練習1 例のように質問して答えてみましょう。

例 마크/백화점/쇼핑하다
가: 마크 씨는 어디에서 무엇을 합니까?
나: 백화점에서 쇼핑합니다.

① 카린/도서관/책을 빌리다

② 소피/은행/ 돈을 찾다

③ 나르샤/스포트 센터/운동하다

④ 이수민/커피숍/친구를 만나다

⑤ 왕조/집/텔레비전을 보다

백화점 百貨店　스포츠 센터 スポーツセンター　빌리다 借りる　커피숍 コーヒーショップ
운동하다 運動する

말하기 話してみよう。

音声 7-1

最近、習っていることについて話してみよう。

이수민 카린 씨, 요즘 무엇을 합니까?

카 린 학교에서 컴퓨터를 배웁니다.

이수민 컴퓨터는 재미있습니까?

카 린 네, 재미있습니다. 그렇지만 조금 어렵습니다.

이수민 오늘 오후에는 무엇을 합니까?

카 린 도서관에서 숙제를 합니다. 그리고 편의점에서 아르바이트를 합니다.

① 表現の拡大：次の語句を参考に会話を作ってみよう。

■ 習い事

피아노 / 수영 / 요가 / 검도 / 그림 / 서예

② 本文の会話を発音しながら書いて、日本語訳をしてみよう。

요즘 この頃　배우다 習う　재미있다 面白い　그렇지만 しかし　조금 少し　어렵다 難しい　오후 午後
피아노 ピアノ　수영 水泳　요가 ヨガ　검도 剣道　그림 絵　서예 書道

읽기 読んでみよう。

音声 7-2

次の文章を読んで質問に答えましょう。

카린 씨는 백화점에 갑니다. 스커트를 삽니다. 스커트가 비쌉니다.
이민수 씨는 영화관에 갑니다. 영화를 봅니다.
그리고 친구를 만납니다. 친구하고 저녁을 먹습니다.

1. 스커트가 쌉니다. 네 ______ 아니요 ______
2. 이민수 씨는 친구를 만납니다. 네 ______ 아니요 ______

쓰기 書いてみよう。

（文末は합니다体を使うこと。）

1. 音楽を聴きます。

⇨ ______________________

2. 電車に乗ります。

⇨ ______________________

3. 何を食べますか。

⇨ ______________________

4. 今日は暑いです。

⇨ ______________________

5. 図書館で勉強します。

⇨ ______________________

memo

FIGHTING
!!!
YES!
열공

• 8과 •

문화 체험 수업이 몇 월 며칠입니까?

文化体験授業は何月何日ですか。

漢数詞

漢数詞は日本語の「いち、に、さん～」にあたり、発音と使い方がよく似ている。

一	二	三	四	五	六	七	八	九	十
일	이	삼	사	오	육	칠	팔	구	십

百	千	万	億	ゼロ
백	천	만	억	영/공

ポイント

漢字の言い方は日本語と同じであり、電話番号、自動車のナンバーなどの数字を言う時に使う。

練習1 次の数字を韓国語で書いてみよう。

① 23

② 760

③ 6284

④ 95732

⑤ 124985

練習2 次の電話番号を韓国語で書いてみよう。

① 090-4353 - 9977

② 070-2801 - 6675

③ 0798 - 348-8743

④ 06 - 7433 - 9421

⑤ 0120 - 88 - 1199

8-2 漢数詞とともに使う助数詞

助数詞	例		
년【年】	2021年	이천이십일 년	
월【月】	1月	일 월	〈注意〉6月[유월]と10月[시월]に形が変わる。
일【日】	26日	이십육 일	
원【ウォン】	5,600ウォン	오천육백 원	
층【階】	7階	칠 층	
분【分】	46分	사십육 분	
번【番】	3番	삼 번	

練習1 次の語句を韓国語で書いてみよう。

① 12階 ______

② 10分 ______

③ 2020年 ______

④ 6月23日 ______

⑤ 18,000ウォン ______

練習2 例のように、何月何日か尋ねて答えてみましょう。

例 마크 씨 생일/5월 12일

가: 마크 씨 생일이 언제입니까?

나: 오월 십이일입니다.

① 설날 / 1월 1일 ______

② 시험 / 6월 28일 ______

③ 문화 수업 / 10월 30일 ______

④ 크리스마스 / 12월 25일 ______

⑤ 졸업식 / 3월 24일 ______

8-3

助詞

몇

「…何…幾つか」

単位を表す名詞の前につき、数字や数量を尋ねるときに使う。

注意 値段を尋ねる時は「몇 원ではなく→얼마」を使う。

전화번호가 몇 번입니까? 電話番号が何番ですか。

이 옷이 얼마입니까? この服はいくらですか。

練習1 例のように質問して答えてみましょう。

例 가:학교 전화 번호가 몇 번입니까? (0798-54-3216)

나:공칠구팔에 오사에 삼이일육입니다.

① 가: 집 전화 번호가 몇 번입니까? (06-4389-6374)

나: ____________________

② 가: 교실이 몇 층입니까? (6층)

나: ____________________

③ 가: 몇 번 버스를 탑니까? (702번)

나: ____________________

④ 가: 오늘이 몇 월 며칠입니까? (7월 30일)

나: ____________________

⑤ 가: 김밥이 얼마입니까? (4,500원)

나: ____________________

생일 誕生日　언제 いつ　설날 正月　시험 試験　문화수업 文化授業　크리스마스 クリスマス
졸업식 卒業式　전화번호 電話番号　얼마 いくら

말하기 話してみよう。

音声 8-1

授業の日程などを尋ねてみましょう。

왕조 카린 씨, 한국어 시험이 언제입니까?

카린 한국어 시험은 5월 26일입니다.

왕조 무슨 요일입니까?

카린 월요일입니다.

왕조 그럼, 문화 체험 수업은 며칠입니까?

카린 7월 12일입니다. 금요일입니다.

왕조 어디에 갑니까?

카린 경복궁에 갑니다.

① 表現の拡大：次の語句を参考に会話を作ってみよう。

■ 語彙の拡大：요일

日曜日	月曜日	火曜日	水曜日	木曜日	金曜日	土曜日
일요일	월요일	화요일	수요일	목요일	금요일	토요일

② 本文の会話を発音しながら書いて、日本語訳をしてみよう。

무슨 요일 何曜日　수업 授業　며칠 何日　경복궁 慶福宮

읽기 読んでみよう。

音声 8-2

次の文章を読んで質問に答えましょう。

우리 집은 3층입니다. 1층에 주차장이 있습니다.
2층에 거실과 부엌하고 욕실이 있습니다. 거실에 텔레비전과 테이블이 있습니다.
3층에 부모님 방과 제 방이 있습니다. 정원은 없습니다.

1. 거실과 욕실이 2층에 있습니다. 네 ______ 아니요 _____
2. 정원에 꽃이 있습니다. 네 ______ 아니요 _____

쓰기 書いてみよう。

1. 私の誕生日は2000年12月13日です。

⇨ ________________________________

2. このカバンはいくらですか。8万ウォンです。

⇨ ________________________________

3. 韓国語の試験はいつありますか。10月30日にあります。

⇨ ________________________________

4. 文化授業は11月16日にあります。金曜日です。

⇨ ________________________________

5. 電話番号は090-2678－3390です。

⇨ ________________________________

memo

FIGHTING
!!!
열 공
YES!

• 9과 •

똑바로 가세요.

まっすぐに行ってください。

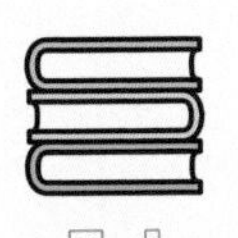

9-1
文法

-예요/-이에요(?)

「…です/…ですか」(名詞文の해요体)

名詞の後に使い、物や人の名前などを表す丁寧な語尾である。

叙述形「…です」	疑問形「…ですか」
N＋예요/이에요	N＋예요?/이에요?

母音語幹（パッチム無）+예요 /예요?

子音語幹（パッチム有）+이에요 /이에요?

여기＋예요 → 여기예요.（ここです。）

여기＋예요? → 여기예요?（ここですか。）

도서관＋이에요 → 도서관이에요.　（図書館です。）
도서관＋이에요? → 도서관이에요?　（図書館ですか。）

練習1 次の物は何でしょうか。例のように質問して答えてみましょう。

例 가방

가: 이게 뭐예요?
나: 가방이에요.

① 볼펜 ＿＿＿＿＿＿＿＿

② 필통 ＿＿＿＿＿＿＿＿

③ 불고기 ＿＿＿＿＿＿＿＿

④ 잡채 ＿＿＿＿＿＿＿＿

⑤ 떡볶이 ＿＿＿＿＿＿＿＿

떡볶이 トッポキ　볼펜 ボールペン　잡채 チャプチェ

9-2
文法

-세요/-으세요

「お～ください、…してください」(丁寧な指示、해요体)

日本語の「お～ください」の意味になり、相手の行動を指示するときに使う丁寧な指示である。

母音語幹（パッチム無） + 세요
（ㄹ語幹はㄹが脱落）

子音語幹（パッチム有） + 으세요

（母音語幹）	가다（行く）	가 + 세요 → 가세요	（行ってください。）
（ㄹ語幹はㄹが脱落）	만들다（作る）	만드 + 세요 → 만드세요	（お作りください。）
（子音語幹）	받다（受ける）	받 + 으세요 → 받으세요	（受け取ってください。）

練習1 例のように相手に指示をしてみましょう。

例 책을 펴다 ⇨ 책을 펴세요

① 책을 읽다 ＿＿＿＿＿＿＿＿

② 의자에 앉다 ＿＿＿＿＿＿＿＿

③ 대답하다 ＿＿＿＿＿＿＿＿

④ 텔레비전을 보다 ＿＿＿＿＿＿＿＿

⑤ 창문을 열다 ＿＿＿＿＿＿＿＿

책 本　펴다 開く　읽다 読む　앉다 座る　보다 見る　창문 窓　대답하다 答える　열다 開ける

문법
助詞

N+로/으로

「…で（手段 / 方法）…へ、…に（方向）」

手段や方法、場所や方向を意味する名詞の後について、その手段や方向・地点を表す助詞である。

母音語幹（パッチム無） （ㄹ語幹）	+로
子音語幹（パッチム有）	+으로

（母音語幹）	버스　+로 → 버스로（バスで）	학교+로 → 학교로（学校へ）
（ㄹ語幹）	지하철+로 → 지하철로（地下鉄で）	길+로 → 길로（道に）
（子音語幹）	무엇+으로 → 무엇으로（何で）	오른쪽+으로 → 오른쪽으로（右側に）

練習1 例のように質問して答えてみましょう。

例 가: 은행이 어디에 있습니까? (오른쪽)

나: 오른쪽으로 가세요.

① 가:영화관이 어디에 있습니까? (5층)
　나: _____ 가세요.
② 가:편의점이 어디에 있습니까? (왼쪽)
　나: _____ 가세요.
③ 가:화장실이 어디에 있습니까? (3층)
　나: _____ 가세요.
④ 가:공항에 어떻게 갑니까? (리무진 버스)
　나: _____ 가세요.
⑤ 가:올림픽 공원에 어떻게 갑니까? (지하철)
　나: _____ 가세요.

은행 銀行　영화관 映画館　편의점 コンビニ　화장실 トイレ　왼쪽 左側　공항 空港
리무진 버스 リムジンバス　지하철 地下鉄　올림픽 공원 オリンピック公園

말하기 話してみよう。

音声 9-1

道で映画館の位置を尋ねてみましょう。

카린 실례합니다. 이 근처에 영화관이 있습니까?

지민 네, 지하철역 근처에 있습니다.

카린 어떻게 갑니까?

지민 똑바로 가세요. 그리고 백화점에서 왼쪽으로 가세요.
은행 옆에 있습니다.

카린 여기에서 가깝습니까?

지민 네, 가깝습니다.

카린 감사합니다.

① 表現の拡大：次の語句を参考に会話を作ってみよう。

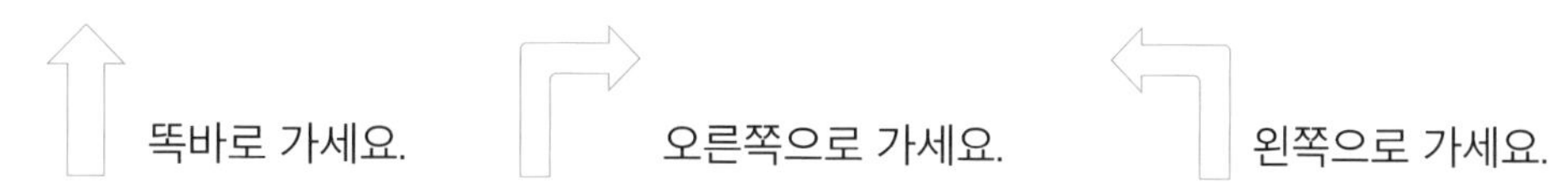

② 本文の会話を発音しながら書いて、日本語訳をしてみよう。

실례합니다 （声をかけるとき）すみません　근처 近所　어떻게 どうやって　똑바로 まっすぐ
가깝다 近い

읽기 読んでみよう。

音声 9-2

次の文章を読んで質問に答えましょう。

테니스 모임 안내

테니스 모임이 있습니다.
테니스를 칩니다.　준비물은 없습니다.
· 날짜: 10월 13일(목요일)　　· 장소: 운동장 옆 테니스코트

1. 테니스를 가르칩니다.　네 ______　아니요 ______
2. 테니스 모임은 금요일입니다.　네 ______　아니요 ______

쓰기 書いてみよう。

1. これはプルゴギです。（예요/이에요を使って）

⇨ ______________________

2. あの建物は図書館です。（예요/이에요を使って）

⇨ ______________________

3. 学校に来てください。（세요/으세요を使って）

⇨ ______________________

4. ２階へ行ってください。（세요/으세요を使って）

⇨ ______________________

5. 韓国語を勉強してください。（세요/으세요を使って）

⇨ ______________________

文化の紹介:韓国のお誕生日

韓国と日本の年の取り方を比較してみると、日本は生まれた時が「0 歳」で誕生日を迎えることごとに年をとりますが、韓国では「数え歳」で、生まれたら日が 1 歳で新年を迎えると年をとります。

【1歳の誕生日】　돌잔치：トルチャンチ

韓国では 1 歳のお誕生日パーティーを【돌잔치：トルチャンチ】といい、盛大にお祝いをします。自宅で行う場合もありますが、ホテルやレストランを予約し、親戚や友人を招いて、大々的にお祝いします。【돌잔치：トルチャンチ】では、「돌잡이：トルチャビ」があり、子供の目の前に品々を並べ、子供が何を手にするのかによって、将来に何になるのかということを占うイベントがあります。

「돌잡이:トルチャビ」

【60歳の誕生日】　환갑：ファンガブ

韓国は儒教の文化の浸透した国で、儒教の教えとして、目上の人や年長者を敬わないといけないというものがあります。その関係もあり、高齢者を大切するという考え方は根強く、60歳になったら還暦「환갑：ファンガブ」を祝う習慣があります。韓国ではかつては還暦のお祝いはかなり盛大に行っていましたが、現在は、60年も70年も生きる人はあまり多くなかったので盛大にお祝いしていたのも頷け、家族だけで、食事会や宴会など、長寿祝いも簡素化してきているようです。または、宴会などのイベントをせずに、何かお祝いの品物を贈ったり、現金をプレゼントするといったことが主流になりつつあります。

「환갑：ファンガブ」

memo

FIGHTING
!!!
YES!
열 공

• 10과 •

저녁에 한국어를 공부해요.

夜、韓国語を勉強します。

10-1
文法

해요体: 語幹 + -아요/-어요

「…です…ます /…ですか…ますか」

韓国語は丁寧な文末の形が2つ、「합니다体」と「해요体」である。「해요体」は打ち解けた丁寧形で通常の会話でよく使われている。

ポイント

- 「해요体」は叙述と疑問形が同じであり、イントネーションで区別する。
- 「해요体」は語幹末尾の母音が「ㅏ / ㅗ」か「ㅏ / ㅗ以外」なのかによって､付く形が異なる。

語幹末尾の母音		해요体の例	
陽母音「ㅏ,ㅗ」	語幹 + 아요	살다	살 + 아요 → 살아요（住む）
陰母音「ㅏ,ㅗ以外」	語幹 + 어요	먹다	먹 + 어요 → 먹어요（食べる）

注意 해요体を作る際に語幹末のパッチムが【ㅂ】と【ㄷ】である用言の多くは不規則な活用をします。不規則に関しては付録を参考にしてください。

練習1 次の用言を「해요体」に書いてみましょう。

① 받다（もらう）
② 앉다（座る）
③ 놀다（遊ぶ）
④ 알다（知る）
⑤ 팔다（売る）
⑥ 있다（ある/いる）
⑦ 없다（ない/いない）
⑧ 읽다（読む）
⑨ 만들다（作る）
⑩ 믿다（信じる）

10-2

해요体の母音縮約

語幹末尾にパッチムのない母音語幹に「+아요/어요」が接続する場合は母音が縮約される。

陽母音「ㅏ,ㅗ」語幹+아요	해요体の例	
ㅏ+아요 → ㅏ요	가다（行く）	가+아요 → 가요
ㅗ+아요 → ㅘ요	오다（来る）	오+아요 → 와요

陰母音「ㅏ,ㅗ以外」語幹+어요	해요体の例	
ㅓ+어요 → ㅓ요	서다（立つ）	서+어요 → 서요
ㅕ+어요 → ㅕ요	펴다（開く）	펴+어요 → 펴요
ㅐ+어요 → ㅐ요	내다（出す）	내+어요 → 내요
ㅔ+어요 → ㅔ요	세다（数える）	세+어요 → 세요
ㅜ+어요 → ㅝ요	배우다（習う）	배우+어요 → 배워요
ㅣ+어요 → ㅕ요	마시다（飲む）	마시+어요 → 마셔요
ㅚ+어요 → ㅙ요	되다（～なる）	되+어요 → 돼요

練習1 次の用言を「해요体の母音縮約」に注意しながら書いてみましょう。

① 사다（買う） ____________
② 보다（見る） ____________
③ 주다（あげる） ____________
④ 다니다（通う） ____________
⑤ 일어서다（立ち上がる） ____________
⑥ 끝내다（終わらせる） ____________
⑦ 켜다（つける） ____________
⑧ 잘되다（うまくできる） ____________
⑨ 만나다（会う） ____________
⑩ 기다리다（待つ） ____________

10-3

하語幹の해요体

하語幹の해요体は「하＋여요→해요」になる。

（基本形）		（해요体）
-하다	⇨	해요
공부하다 （勉強する）	→	공부해요 （勉強します）

練習1 次の用言を「하語幹」に注意しながら해요体に書いてみましょう。

① 싫어하다（嫌いだ）

② 운동하다（運動する）

③ 좋아하다（好む）

④ 일하다（仕事する）

⑤ 쇼핑하다（ショッピングする）

⑥ 말하다（話す）

⑦ 시작하다（始める）

⑧ 생각하다（考える）

⑨ 미안하다（ごめんだ）

⑩ 사랑하다（愛する）

말하기 話してみよう。

音声 10-1

友達と日常生活を話してみましょう。

카 린　이수민 씨는 무슨 일을 해요?
이수민　저는 은행에 다녀요. 그리고 저녁에 영어회화를 공부해요.
카 린　매일 영어를 공부해요?
이수민　아뇨, 월요일과 수요일에 공부해요.
카 린　그럼, 일요일은 뭐 해요?
이수민　보통 친구를 만나요. 그리고 친구와 같이 영화를 봐요.

① 表現の拡大：次の語句を参考に会話を作ってみよう。

한국어 / 프랑스어 / 중국어 / 러시아어

② 本文の会話を発音しながら書いて、日本語訳をしてみよう。

일 仕事　영어회화 英会話　그리고 そして　매일 毎日　같이 一緒に

읽기 読んでみよう。

音声 10-2

次の文章を読んで質問に答えましょう。

저는 유학생입니다. 가나 대학교 어학당에서 한국어를 공부합니다.
( ) ( )
보통 아침에 일찍 일어납니다. 그리고 빵과 우유를 먹습니다.
( ) ( )
버스로 학교에 옵니다. 오전에 한국어 수업이 끝납니다.
( ) ( )
그래서 오후에는 친구와 명동에서 쇼핑을 합니다.
( )

1. 카린 씨는 회사원입니다. 네 ______ 아니요 ______
2. 카린 씨는 지하철로 학교에 옵니다. 네 ______ 아니요 ______
3. 下線の-합니다体を-해요体に書いてみましょう。

쓰기 書いてみよう。

（文末を해요体にすること）

1. どこに行きますか。

⇨ ______

2. 日曜日に何をしますか。

⇨ ______

3. 映画館で映画を見ます。

⇨ ______

4. 学校でコンピューターを学びます。

⇨ ______

5. 午後に友達とカフェでコーヒーを飲みます。

⇨ ______

memo

FIGHTING
!!!
열 공
YES!

• 11과 •

수영은 오전 10시에 있어요.

水泳は午前 10 時にあります。

固有数詞

固有数詞は日本語の「ひとつ、ふたつ、みつ～」にあたる数詞である。

1	2	3	4	5	6	7	8	9	10
하나 (한)	둘 (두)	셋 (세)	넷 (네)	다섯	여섯	일곱	여덟	아홉	열

20	30	40	50	60	70	80	90
스물 (스무)	서른	마흔	쉰	예순	일흔	여든	아흔

ポイント

まず 1 から 10 までの固有数詞を覚えましょう。
99 まで数えることができる。（100 以上は漢数詞を使う）
一部の固有数詞は助数詞が続くと形が変わるので注意しましょう。

練習1 次の数字を韓国語で書いてみよう。

① 3
② 8
③ 9
④ 4
⑤ 7
⑥ 14
⑦ 23
⑧ 18
⑨ 21
⑩ 56

11-2 固有数詞とともに使う助数詞

助数詞	例	
개【個】	두 개	2個
시【時】	세 시	3時
시간【時間】	한 시간	1時間
살【歳】	열여덟 살	18歳
명【名】	네 명	4名
병【本（瓶）】	여섯 병	6本
장【枚】	다섯 장	5枚

練習1 次の語句を韓国語で書いてみよう。

① 6個 ______

② 19歳 ______

③ 7名 ______

④ 3本 ______

⑤ 15枚 ______

練習2 例のように、時計を書いて、何時か言ってみましょう。

例 가: 지금 몇 시예요?

나: 세 시 이십 분이에요.

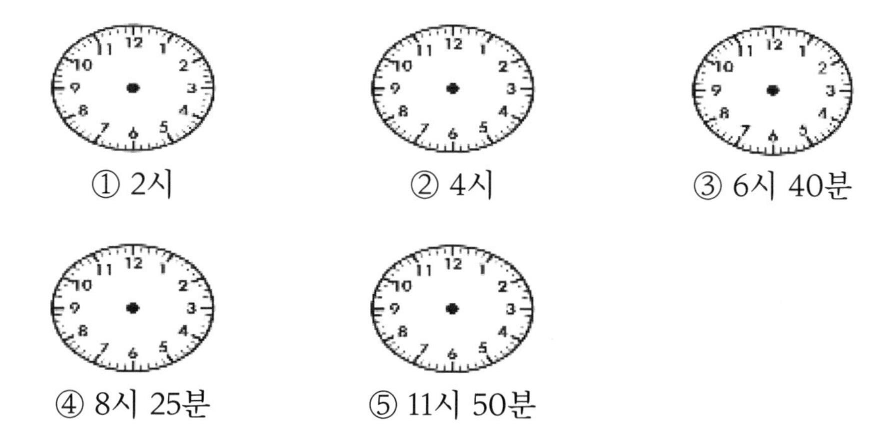

① 2시　② 4시　③ 6시 40분

④ 8시 25분　⑤ 11시 50분

11-3

助詞

-부터　-까지

「…から」　「…まで」

-부터「…から」-까지「…まで」は時を表す言葉の後について、ある動作や状態の始まる時点と終わる時点を表す助詞である。

9시부터 11시까지 공부해요.　(9時から11時まで勉強します。)
월요일부터 금요일까지 수업이 있어요.　(月曜日から金曜日まで授業があります。)

練習1 例のように質問して答えてみましょう。(文末は해요体を使うこと)

例 일요일/아르바이트를 하다/ 10:00~15：00

가: 언제 아르바이트를 해요?
나: 일요일 열 시부터 세시까지 아르바이트를 해요.

① 월요일/한국어를 배우다/11:00~13:00

② 수요일/수영하다/19:00~20:00

③ 목요일/친구를 만나다/10:00~12:00

④ 금요일/운동하다/17:00~18:00

⑤ 토요일/영화를 보다/14:00~16:00

수업 授業　아르바이트 アルバイト　배우다 習う

말하기 話してみよう。

音声 11-1

スポーツセンターに電話をしてプログラムを尋ねてみよう。

스포츠센터 안녕하세요? 가나 스포츠센터입니다.
카 린 네, 말씀 좀 묻겠어요.
다음 달 프로그램이 언제 시작해요?
스포츠센터 다음 달5일, 월요일부터 시작합니다.
카 린 요가 교실은 언제부터 해요?
스포츠센터 매주 수요일 오후 6시부터 8시까지 합니다.
카 린 그럼, 수영도 있어요?
스포츠센터 네, 수영은 월요일과 목요일 오전 10시에 있습니다.
카 린 네, 알겠습니다.

① 表現の拡大：次の語句を参考に会話を作ってみよう。

요리 교실 / 사진 교실 / 바이올린 교실/ 미술 교실 / 노래 교실

② 本文の会話を発音しながら書いて、日本語訳をしてみよう。

말씀 お話　묻다 伺う　다음 달 来月　프로그램 プログラム　요가 ヨガ　문화센테 文化センター

읽기 読んでみよう。

音声 11-2

次の文章を読んで質問に答えましょう。

카린 씨는 아침 6시에 일어납니다. 그리고 세수를 합니다. 7시에 아침을 먹습니다. 그리고 8시 30분까지 학교에 갑니다. 오전 9시부터 12시까지 한국어를 배웁니다.
그리고 도서관에서 3시까지 한국어 숙제를 합니다. 오후 5시부터 8시까지 아르바이트를 합니다. 그리고 9시에 집에 옵니다. 집에서 10시 반까지 텔레비전을 봅니다. 그리고 11시에 잡니다.

1. 카린 씨는 몇 시에 학교에 갑니까? (　　　　　　　　)
2. 언제 아르바이트를 합니까? (　　　　　　　　)

쓰기 書いてみよう。

(文末は해요体を使うこと)

1. 毎日6時30分に起きます。

⇨ ________________

2. 私は19歳です。

⇨ ________________

3. 月曜日から金曜日まで授業があります。

⇨ ________________

4. カバンが3個あります。

⇨ ________________

5. 日曜日は午前10時から午後3時までアルバイトをします。

⇨ ________________

memo

FIGHTING
!!!
YES!
열 공

• 12과 •

보통 주말에 외출은 안 해요.

普通、週末に外出はしません。

12-1
文法

-아/어 주세요

「…してください」

相手に頼むときに使う意表である。

陽母音「ㅏ,ㅗ」語幹	+아 주세요
陰母音「ㅏ,ㅗ以外」語幹	+어 주세요
하語幹	+해 주세요

닫다（閉める）	닫+아 주세요 → 닫아 주세요
찍다（撮る）	찍+어 주세요 → 찍어 주세요
운동하다（運動する）	운동+해 주세요 → 운동해 주세요

練習1 例のように書いてみましょう。

例 찾다（探す） ⇨ 찾아 주세요

① 깎다（値切る） ____________

② 빌리다（借りる） ____________

③ 오다（来る） ____________

④ 보이다（見せる） ____________

⑤ 말하다（話す） ____________

練習2 次のように「…を…してください」という文を作ってみましょう。

例 한국말/천천히 말하다 ⇨ 한국말을 천천히 말해 주세요

① 사진/찍다 ____________

② 에어컨/켜다 ____________

③ 사전/빌리다 ____________

④ 주소/가르치다 ____________

⑤ 창문/닫다 ____________

사진 写真　에어컨 エアコン　주소 住所　창문 窓　가르치다 教える

12-2

助詞

-고

「…て、…し」

二つ以上の行為や状態を時間の順序と関係なく羅列するときに使う語尾である。

오늘은 맑고 따뜻해요.　(今日は晴れて暖かいです。)
집에서 점심을 먹고 도서관에 가요.　(家でお昼を食べて図書館に行きます。)
아버지는 회사원이고 어머니는 선생님이에요.
(お父さんは会社員で、お母さんは先生です。)

練習1 例のように文を完成してみましょう。(文末は해요体を使うこと)

例 전철은 빠르다/요금이 싸다

⇒ 전철은 빠르고 요금이 싸요.

① 세수를 하다/아침을 먹다

② 오늘은 춥다/바람이 불다

③ 날씨가 흐리다/쌀쌀하다

④ 집에서 숙제를 하다/텔레비전을 보다

⑤ 딸기가 달다/맛있다

전철 電車　요금 料金　세수 洗顔　아침 朝/朝ご飯　오늘 今日　바람 風　날씨 天気　숙제 宿題
딸기 イチゴ　빠르다 速い　싸다 安い　춥다 寒い　불다 吹く　흐리다 曇る　쌀쌀하다 肌寒い
달다 甘い　맛있다 美味しい

文法

안＋用言

「…ません、…くない」（用言の否定）

用言の前に「안」を置き、動作や状態の否定を表す表現である。また、動詞として使われる「하다用言：N＋하다」は하다の直前に안置く。

사다（買う）　　사요→안 사요
먹다（食べる）　　먹어요→안 먹어요
공부하다（勉強する）　　공부해요→공부 안 해요

例のように、次の文を否定の文にしてみましょう。

例 토요일은 회사에 가요 ⇒ 토요일은 회사에 안 가요

① 금요일에 영화를 봐요

② 여기에 버스가 서요

③ 주말에 친구를 만나요

④ 일요일에 아르바이트해요

⑤ 집에서 바다가 보여요

회사 会社　버스 バス　아르바이트 アルバイト　바다 海

말하기 話してみよう。

音声 12-1

週末に何をするかについて話してみましょう。

이수민 카린 씨, 보통 주말에 어떻게 지내요?

카 린 보통 토요일에 집을 청소해요.
그리고 일요일에 한국어 복습과 예습을 해요.

이수민 그래요? 외출은 안 해요?

카 린 네, 한국어 숙제가 많아요. 그래서 집에서 공부를 하고 쉬어요.
수민 씨는 주말에 뭐 해요?

이수민 저는 보통 명동에 가요. 그리고 영화를 보고 쇼핑해요.
지금은 회사 일이 많이 없어요. 그래서 주말에 거의 외출을 자주 해요.

카 린 수민 씨는 좋겠어요.

이수민 네, 카린 씨는 한국어를 열심히 공부해 주세요.

① 表現の拡大：次の語句を参考に会話を作ってみよう。

미술관 / 박물관 / 인사동 / 북촌

② 本文の会話を発音しながら書いて、日本語訳をしてみよう。

복습 復習　예습 予習　외출 外出、お出かけ　쉬다 休む　자주 よく　열심히 一生懸命
청소하다 掃除する　미술관 美術館　박물관 博物館　인사동 仁寺洞　북촌 北村

읽기 読んでみよう。

音声 12-2

次の文章を読んで質問に答えましょう。

카린 씨는 유학생입니다. 보통 월요일부터 금요일까지 학교에서 한국어를 공부합니다. 그래서 토요일에 집을 청소합니다. 그리고 일요일 오전에는 한국어 숙제를 하고 오후에는 한국 친구를 만납니다. 친구와 영화관에서 영화를 봅니다.

1. 카린 씨는 일요일에 청소를 합니다.　　네 ______　　아니요 ______
2. 카린 씨는 친구와 무엇을 합니까?　　(　　　　　　　　　　)

쓰기 書いてみよう。

（文末は해요体を使うこと）

1. 韓国の新聞を読みません。

⇨ ______________________________

2. 今日は家でご飯を食べて午後に出かけます。

⇨ ______________________________

3. 午前には韓国語を勉強して午後には映画を観ます。

⇨ ______________________________

4. ゆっくり話してください。

⇨ ______________________________

5. 韓国語を一生懸命勉強してください。

⇨ ______________________________

文化の紹介:韓国人の伝統的な住まい

韓国の伝統的な様式の家を韓屋（ハンオク）と言う。韓国の伝統家屋は、家の形と構造が自然と調和するように造られているので、自然と環境への優しさを特徴とする。

韓屋（ハンオク）の構造（上流階級）

韓屋の造りは、両班と庶民で違いを見せている。最も違いが良くわかるのは屋根である。上流階級では瓦葺の屋根を使い装飾的で芸術性に重きを置いた瓦屋である。また、貴族階級の韓屋の構造は両班 (ヤンバン) が使う上の空間と使用人が使う下の空間に分けられている。上の空間ではサラン房とアン房があり、サラン房は男性が使い、アン房は女性が使うことで男女の住居空間を分けていた。下の空間である行廊房 (ヘンランバン) は門に最も近い部屋である。

「韓屋（ハンオク）の構造（上流階級）」

韓屋（ハンオク）の構造（一般庶民）

庶民の家は大体、表に庭があり、裏には日が良く当たる場所にチャントクデ（瓶台）を設けていた。チャントクデには、醤油・味噌・コチュジャン（唐辛子味噌）を入れた瓶を置き、その周りと庭に花を植えて庭園を造った。

「韓屋（ハンオク）の構造（一般庶民）」

韓屋（ハンオク）の構造（オンドル）

オンドルまたは朝鮮半島の伝統的な暖房法で、床暖房の一種である。現在、特に韓国ではアパートの普及に伴い、旧来の方式でのオンドル暖房が構造・安全面から不可能になったため温水床暖房が一般的に使用されている。

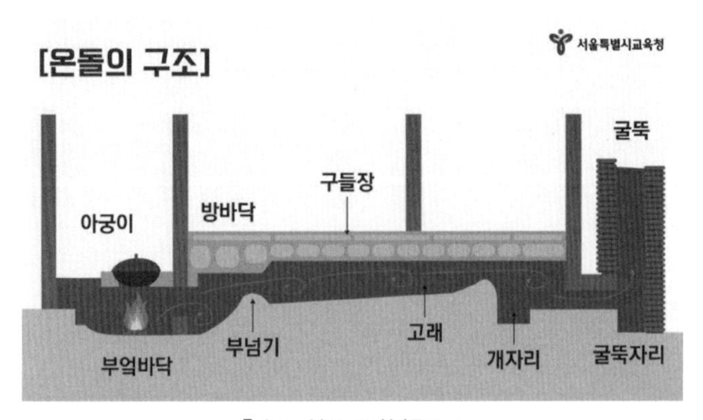

「オンドルの仕組み」

(出処: ソウル特別市教育庁)

話してみようの和訳

QRコードをスキャンすると
モバイルでもご確認いただけます。

第4課

イスミン	こんにちは。 私はイスミンです。
カ　リン	こんにちは。私はカリンです。
イスミン	カリンさん、どの国の人ですか。
カ　リン	日本人です。
イスミン	カリンさんは、会社員ですか。
カ　リン	いいえ。 会社員ではありません。学生です。
イスミン	私は銀行員です。 お会い出来て嬉しいです。

第5課

イスミン	カリンさん、ネコがいますか。
カリン	はい。います。
イスミン	名前は何ですか。
カリン	レオです。
イスミン	ネコはどこにありますか。
カリン	故郷の両親の家にあります。
イスミン	故郷はどこですか。
カリン	奈良です。

第6課

カリン　イスミンさん、こんにちは。
イスミン　こんにちは。ここがカリンさんの学校ですか。
カリン　はい、そうです。私の学校です。
イスミン　カリンさん、学生食堂はどこにありますか。
カリン　地下にあります。あそこに売店と休憩室もあります。
イスミン　この建物にコンピュータ室はありますか。
カリン　いいえ、ここにコンピュータ室はありません。
この建物の左側の図書館の中にあります。

第7課

イスミン　カリンさん、この頃、何をしますか。
カリン　学校でコンピュータを習います。
イスミン　コンピュータは面白いですか。
カリン　はい、面白いです。けれども、少し難しいです。
イスミン　今日、午後には何をしますか。
カリン　図書館で宿題をします。そして、コンビニでアルバイトをします。

第 8 課

ワンゾ	カリンさん、韓国語の試験はいつですか。
カリン	韓国語の試験は 5 月 26 日です。
ワンゾ	何曜日ですか。
カリン	月曜日です。
ワンゾ	じゃ、文化体験授業は何日ですか。
カリン	7 月 12 日です。金曜日です。
ワンゾ	どこに行きますか。
カリン	慶福宮に行きます。

第 9 課

カリン	(声をかける時) すみません、この近所に映画館がありますか。
チミン	はい。地下鉄駅の近所にあります。
カリン	どうやって行きますか。
チミン	まっすぐに行ってください。そして、百貨店から左側に行ってください。 銀行の横にあります。
カリン	ここから近いですか。
チミン	はい。近いです。
カリン	ありがとうございます。

第10課

カリン	イスミンさんは、どんな仕事をしますか。
イスミン	私は銀行に通います。そして、夜に英会話を勉強します。
カリン	毎日、英語を勉強しますか。
イスミン	いいえ。月曜日と水曜日に勉強します。
カリン	では、日曜日は何をしますか。
イスミン	普通、友達に会います。そして、友達と一緒に映画を観ます。

第11課

スポーツセンター	こんにちは。カナスポーツセンターです。
カリン	はい。失礼ですが、来月のプログラムはいつ始まりますか。
スポーツセンター	来月５日、月曜日から始まります。
カリン	ヨガ教室はいつからしますか。
スポーツセンター	毎週、水曜日の午後６時から８時までします。
カリン	では、水泳もありますか。
スポーツセンター	はい。水泳は月曜日と木曜日の午前10時にあります。
カリン	はい。分かりました。

第12課

イスミン	カリンさん、普通、週末にどのようにお過ごしですか。
カリン	普通、土曜日に家を掃除します。そして、日曜日に韓国語の復習と予習をします。
イスミン	そうですか。外出はしませんか。
カリン	はい、韓国語の宿題が多いです。それで、家で勉強をして休みます。スミンさんは週末に何をしますか。
イスミン	私は普通明洞に行きます。そして、映画を観てショッピングします。今は会社の仕事があまりないです。それで、週末にほとんど外出をよくします。
カリン	いいですね。
イスミン	はい。カリンさん、韓国語の勉強を頑張ってください。

読んでみようの和訳

QRコードをスキャンすると
モバイルでもご確認いただけます。

第4課

こんにちは。
私の名前はカリンです。
私は日本人です。
学生です。
お会い出来て嬉しいです。

第5課

私の部屋です。私の部屋にベッドがあります。
熊人形があります。
ベッドの横に机があります。
机の上にコンピュータがあります。
コンピュータ右側に写真があります。
机の下にゴミ箱があります。

第6課

ここは韓国語の教室です。
教室の前に教卓と黒板があります。
机と椅子があります。
そしてコンピュータもあります。

第7課

カリンさんは百貨店に行きます。スカートを買います。スカートが高いです。
イミンスさんは映画館に行きます。映画を観ます。
そして友達に会います。友人と夕食を食べます。

第 8 課

我が家は 3 階です。1 階に駐車場があります。
2 階に居間と台所と浴室があります。居間にテレビとテーブルがあります。
3 階にご両親部屋と自分の部屋があります。庭はありません。

第 9 課

テニス集いの案内
テニス集いがあります。
テニスをします。準備物はありません。
・日時：10 月 13 日 (木曜日)　・場所：運動場の横のテニスコート

第10課

私は留学生です。カナ大学校の語学堂で韓国語を勉強します。
普通、朝早く起きます。そしてパンと牛乳を飲みます。
バスで学校にきます。午前に韓国語の授業が終わります。
それで午後には友達と明洞（ミョンドン）でショッピングをします。

第11課

カリンさんは朝 6 時に起きます。そして顔を洗います。7 時に朝ご飯を食べます。そして 8 時 30 分まで学校に行きます。午前 9 時から 12 時まで韓国語を学びます。
そして図書館で 3 時まで韓国語の宿題をします。午後 5 時から 8 時までアルバイトをします。そして 9 時に家にきます。家で 10 時半までテレビを見ます。そして 11 時に寝ます。

第12課

カリンさんは留学生です。普通、月曜日から金曜日まで学校で韓国語を勉強します。それで土曜日に家を清掃します。そして日曜日の午前には韓国語の宿題をします。そして午後には韓国の友達に会います。友達と映画館で映画を観ます。

参考資料 1

発音のルール

［参考資料 1~3］QRコード
QRコードをスキャンすると
モバイルでもご確認いただけます。

1. 有声音化

初声平音の<ㄱ, ㄷ, ㅂ, ㅈ>は語頭では激音に発音するが、母音などの有声音に挟まれると有声音化し、濁ります。

고기 [kogi] 肉　　구두 [kudu] 靴　　부부 [pubu] 夫婦

2. 連音化

母音で始まる音節の前のパッチムは、後の音節の初声として発音される。

한국어 [한구거] 韓国語　　단어 [다너] 単語　　직업 [지겁] 職業

옆에 [여페] 横に　　이것은 [이거슨] これは

■ 但し、母音の前の　<ㅎ>　パッチムは発音されない。

좋아요 [조아요] いいです　　낳아요 [나아요] 産みます

3. 口蓋音化

『<ㄷ>パッチム＋이』⇒【지】、『<ㅌ>パッチム＋이』⇒【치】と発音される。

굳이 [구지] あえて　　같이 [가치] 一緒に

4. 激音化

<ㄱ, ㄷ, ㅂ, ㅈ>＋ㅎ が前後に来ると[ㅋ, ㅌ, ㅍ, ㅊ]にそれぞれの激音で発音される。

< ㄱ + ㅎ → ㅋ >	축하 [추카] 祝賀	넣고 [너코] 入れて
< ㄷ + ㅎ → ㅌ >	못하다 [몯하다→모타다] できない	좋다 [조타] いい
< ㅂ + ㅎ → ㅍ >	입학 [이팍] 入学	
< ㅈ + ㅎ → ㅊ >	앉히다 [안치다] 座らせる	좋지만 [조치만] いいが

5. 濃音化

パッチム<ㄱ, ㄷ, ㅂ>の後ろに来る初声平音は濃音に変わる。

< ㄱ > + 平音	작가 [작까] 作家	학교 [학꾜] 学校	녹다 [녹따] 溶ける
< ㄷ > + 平音	듣다 [듣따] 聞く	숫자 [숟자 → 숟짜] 数字	찾다 [찯다 → 찯따] 探す
< ㅂ > + 平音	입국 [입꾹] 入国	높다 [놉다 → 놉따] 高い	집세 [집쎄] 家賃

6. 舌側音化

[ㄴ＋ㄹ]、[ㄹ＋ㄴ]⇒【ㄹ＋ㄹ】と発音される。

< ㄴ + ㄹ → ㄹ + ㄹ >	인류 [일류] 人類	언론 [얼론] 言論
< ㄹ + ㄴ → ㄹ + ㄹ >	설날 [설랄] 元日	물난리 [물랄리] 洪水の騒ぎ

■ 合成漢字語は例外であり、[ㄴ＋ㄴ]になる。

생산량 [생산냥] 生産量　　의견란 [의견난] 意見欄

7. 鼻音化

パッチム[ㄱ+ㄴ,ㅁ　⇒ㅇ]、[ㄷ+ㄴ,ㅁ　⇒ㄴ]、[ㅂ+ㄴ,ㅁ　⇒ㅁ]に変わる。

<ㄱ+ㄴ,ㅁ>⇒【ㅇ】

먹는다 [멍는다] 食べる
한국노래 [한궁노래] 韓国の歌
국물 [궁물] 汁

<ㄷ+ㄴ,ㅁ>⇒【ㄴ】

받는다 [반는다] 受ける
있는 [읻는→인는] ある、いる
잇몸 [읻몸 → 인몸] 歯茎

<ㅂ+ㄴ,ㅁ>⇒【ㅁ】

입니다 [임니다] ～です
앞날 [압날 → 암날] 将来
십만 [심만] 十万

8. 頭音法則

(1) <ㄹ>は第１音節の初声には用いません。

① < 라→나, 로→노, 루→누, 르→느 >それぞれに変わる。

신라 新羅 ― 나열 羅列　　근로 勤労 ― 노동 労働

②< 랴→야, 려→여, 료→요, 류→유, 리→이 >それぞれに変わる。

개량 改良 ― 양심 良心　　경력 経歴 ― 역사 歴史
재료 材料 ― 요리 料理　　조류 潮流 ― 유통 流通
물리 物理 ― 이론 理論

(2) < 냐→야 , 녀→여 , 뇨→요 , 뉴→유 , 니→이 >それぞれに変わる。

한냥 1両 ― 양국 両国　　남녀 男女 ― 여자 女子
분뇨 糞尿 ― 요도 尿道

9. 流音≪ㄹ≫の鼻音化

パッチム＜ㄱ, ㅁ, ㅂ, ㅇ＞の後ろに来る初音＜ㄹ＞は、【ㄴ】と発音される。

<ㄱ>+<ㄹ>	격려 [격녀 → 경녀] 激励	독립 [독닙 → 동닙] 独立
<ㅁ>+<ㄹ>	심리 [심니] 心理	금리 [금니] 金利
<ㅂ>+<ㄹ>	협력 [협녁 → 혐녁] 協力	법률 [법뉼 → 범뉼] 法律
<ㅇ>+<ㄹ>	정리 [정니] 整理	동료 [동뇨] 同僚

10. ≪ㄴ≫音の添加

主に合成語の場合、パッチムの後に＜야,여,요,유,이＞が来ると≪ㄴ≫音が添加され、【냐, 녀, 뇨, 뉴, 니】と発音される。

두통약 [두통냑] 頭痛薬　그림엽서 [그림녑써] 絵葉書　식용유 [시굥뉴] 食用油

参考資料2

変則のまとめ

1. 【ㅂ】変則用言

語幹末のパッチムが【ㅂ】である用言の多くは不規則な活用をします。
「-으」と「-아 / 어」で始まる語尾が続くと、「語幹末ㅂ＋語尾으 ➡ 우」に、
「語幹末ㅂ＋語尾아 / 아　➡ 워」に変わります。

例	語尾으「-으세요」	語尾아/아「-아요/어요」
덥다	더우세요	더워요
춥다	추우세요	추워요
어렵다	어려우세요	어려워요

■【注意】돕다,곱다は語尾아/아接続する場合、【ㅂ】が【오】に変わります。

「돕다 + 아요 ➡ 도와요　　　곱다 + 아요 ➡ 고와요」

2. 【ㄷ】変則用言

語幹末のパッチムが【ㄷ】である用言の多くは不規則な活用をします。
「-으」と「-아 / 어」で始まる語尾が続くと、語幹末【ㄷ ➡ ㄹ】に変わります。

例	語尾으「-으세요」	語尾아/아「-아요/어요」
걷다	걸으세요	걸어요
듣다	들으세요	들어요

参考資料3

単語リスト

ㄱ	
가게	お店
가구	家具
가깝다	近い
가다	行く
가방	カバン
가수	歌手
같이	一緒に
개미	アリ
거실	居間
고기	肉
고마워요	ありがとうございます。
고양이	ネコ
고향	故郷
공부하다	勉強する
공원	公園
공책	ノート
공항	空港
과자	お菓子
교과서	教科書
교수	教授
교실	教室
교회	教会
구두	靴
귀	耳
그리고	そして
그림	絵
근처	近所
금요일	金曜日
기숙사	寮
기와	瓦
기차	汽車
길	道
길다	長い
김밥	海苔巻き
김치	キムチ
-까지	一まで
까치	カササギ
꼬리	尾
끄다	消す
끝	お終い

ㄴ	
나	私
나라	国
나무	木
나비	蝶々
날	日
내다	出す
너	お前
네	はい
누나	姉
눈	目・雪

ㄷ	
달다	甘い
대학교	大学校
더워요	暑いです
도서관	図書館
도쿄	東京
도토리	どんぐり
동생	弟
돼지	豚
두부	豆腐
두유	豆乳
따뜻하다	温かい
따르다	注ぐ
딸기	イチゴ
떡볶이	トッポキ
똑바로	まっすぐ

뜨다	浮く

ㄹ	
라면	ラーメン
러시아	ロシア
리무진	リムジン

ㅁ	
마스크	マスク
마을	村
만들다	作る
말씀	お話
맛	味
매일	毎日
머리띠	カチューシャ
메뚜기	バッタ
메아리	山びこ
몇-	幾つか
모임	集い
모자	帽子
목요일	木曜日
무슨	何の
무엇	何
문화	文化
묻다	尋ねる
미국	アメリカ
미소	微笑み

ㅂ	
바다	海
바지	ズボン
반가습니다	(お会い出来て) 嬉しい
받다	もらう
발	足
밥	ご飯
방	部屋
배우	俳優
배우다	習う
버스	バス
버터	バター
병원	病院
보리	麦
복사기	コピー機
복습	復習
볼펜	ボールペン
봄	春
부모님	ご両親
부엌	台所
-부터	ーから
불고기	プルゴギ
불다	(風が) 吹く
빚	借金
빠르다	早い

ㅅ	
사다리	ハシゴ
사람	人
사무실	事務室
사전	辞書
사진	写真
생일	誕生日
서다	立つ
서울	ソウル
선생님	先生
설날	正月
세계	世界
세수	洗顔
소파	ソファー
손수건	ハンカチ
수업	授業

수요일	水曜日
숙제	宿題
술	酒
쉬다	休む
스커트	スカート
스케줄	スケジュール
스포츠센터	スポーツセンター
시계	時計
시험	試験
싸다	安い
쌀쌀하다	肌寒い
쓰레기	ゴミ

ㅇ	
아	あ
아기	赤ちゃん
아니오	いいえ
아르바이트	アルバイト
아버지	お父さん
아빠	パパ
아우	弟や妹
아이	子供
아저씨	おじさん
아침	朝
아파트	アパート
앉다	座る
알다	知る
앞	前
야구	野球
애기	赤ちゃん
어느	どの
어떻게	どのように
어려워요	難しいです
어머니	お母さん
어머니의 가위	お母さんのハサミ

언제	いつ
에어컨	エアコン
여우	キツネ
여유	余裕
역	駅
연필	鉛筆
열다	開ける
영국	英国
영어회화	英会話
영화관	映画館
옆	横
예쁘다	綺麗だ
예습	予習
오	お
오늘	今日
오다	来る
오리	アヒル
오빠	兄
오이	キュウリ
오후	午後
올림픽공원	オリンピック公園
옷	服
와요	来ます
외출	外出
요가	ヨガ
요금	料金
요리사	料理師
욕실	浴室
우리	私たち
우산	傘
우유	牛乳
우체국	郵便局
운동장	運動場
운동하다	運動する
월요일	月曜日

웨이브	ウェーブ
유도	柔道
유학생	留学生
은행	銀行
은행원	銀行員
음식	食べ物
음악	音楽
의사	医者
의자	椅子
이	い
이름	名前
이유	理由
일	仕事
일본	日本
일요일	日曜日
입니까?	―ですか
입니다	―です

ㅈ	
자전거	自転車
잡채	チャプチェ
저	私
저녁	夜
전철	電車
전화	電話
정원	庭
제	私の
졸업식	卒業式
좋아하다	好む
주부	主婦
주소	住所
주스	ジュース
주차장	駐車場
준비물	準備物
중국	中国
지금	今
지도	地図
지우개	消しゴム
지하철	地下鉄
집	家
짜다	塩辛い
찌개	チゲ

ㅊ	
창문	窓
책	本
책상	机
천천히	ゆっくり
청소하다	掃除する
춥다	寒い
취미	趣味
치마	スカート
치즈	チーズ
친구	友達
침대	ベッド

ㅋ	
카드	カード
캐나다	カナダ
커피	コーヒー
커피숍	コーヒーショップ
컴퓨터	コンピューター
코스모스	コスモス
크리스마스	クリスマス

ㅌ	
테니스	テニス
테이블	テーブル
텔레비전	テレビ
토끼	ウサギ

토요일	土曜日
투수	投手

ㅍ	
펴다	広げる
편의점	コンビニ
포도	ブドウ
프랑스	フランス
프로그램	プログラム
피아노	ピアノ

ㅎ	
하마	カバ
학교	学校
학생	学生
한국	韓国
한국말	韓国の言葉
한국어	韓国語
호수	湖
호텔	ホテル
화요일	火曜日
화장실	化粧室
회사원	会社員
휴지	ちり紙
휴지통	ゴミ箱
흐리다	曇る

ワークブックは、

QR コードをスキャンするとご確認いただけます。

金 世德

韓国生まれ。

現在、大阪観光大学観光学部教授。

張 京花

韓国生まれ。

現在、神戸大学工学研究科研究員。

神戸芸術工科大学など韓国語非常勤講師。

WE CAN!!! 韓国語 - 入門から初級へ -

初版発行 2021年10月15日
重版発行 2023年11月10日

著　者 金世徳、張京花

発行人 中嶋 啓太

発行所 博英社 (HAKUEISHA)

〒 370-0006 群馬県 高崎市 問屋町 4-5-9 SKYMAX-WEST
TEL 027-381-8453/FAX 027-381-8457
E-MAIL hakueisha@hakueishabook.com

ISBN 978-4-910132-15-0

定　価　1,980 円 (本体 1,800 円 + 税 10%)